LE TABLEAU DE CHASSE

Michèle Comtois

LE TABLEAU DE CHASSE

roman

HÉLIOTROPE

Héliotrope
4067, boulevard Saint-Laurent
Atelier 400
Montréal (Québec)
H2W 1Y7
www.editionsheliotrope.com

Maquette de couverture et photo : Jean-Paul Corbeil et Antoine Fortin
Maquette intérieure et mise en page : Yolande Martel

*Catalogage avant publication de Bibliothèque et Archives nationales du Québec
et Bibliothèque et Archives Canada*

Comtois, Michèle

    Le tableau de chasse

    ISBN 978-2-923975-25-2

    I. Titre.

PS8605.O548T32 2013   C843'.6   C2013-941428-2
PS9605.O548T32 2013

Dépôt légal : 3ᵉ trimestre 2013
Bibliothèque et Archives nationales du Québec

Les Éditions Héliotrope remercient de leur soutien financier le Conseil des
Arts du Canada, le Fonds du livre du Canada et la Société de développement
des entreprises culturelles du Québec (SODEC).
Les Éditions Héliotrope bénéficient du Programme de crédit d'impôt pour
l'édition de livres du gouvernement du Québec, géré par la SODEC.

IMPRIMÉ AU CANADA EN AOÛT 2013

À mes fils

À C. M.

COMME TU te meurs en moi :
jusque dans le dernier
nœud de souffle
éliminé
tu es planté avec un
éclat
de vie.

PAUL CELAN,
Contrainte de lumière

L'homme arriva, un verre de lait chaud à la main. Resta debout, attendant que la femme lève les yeux sur ce qu'il appelait rituellement: le précieux viatique. La main porteuse tremblait. Oh! légèrement. Du cuir écarlate et noir la recouvrait… On aurait dit un drapeau. À l'annulaire de l'autre main, une chevalière en onyx, gravé d'un aigle aux ailes éployées. Après plusieurs minutes, il posa le verre sur la table métallique qui les séparait.

— Du lait chaud, lui dit-il, avec du miel. Du miel de là-bas! Réellement de là-bas, ajouta l'homme.

La femme gardait la tête inclinée, sans cesser de l'observer à travers ses cheveux roux.

— Cela va te réchauffer, murmura-t-il, en reprenant le verre.

Il lui tendit le lait, penché au-dessus de la table. Sa main-drapeau tremblait toujours. Quelques gouttes jaillirent et éclaboussèrent le métal. Des effluves lactés s'élevèrent. La femme bougea. Oh! presque pas. Ce tressaillement encouragea l'homme:

— Tu es transie, bois! Bois! Nous parlerons… après. C'est ça. Après.

Il contourna la table et la chaise qui la jouxtait sans qu'aucun autre mouvement ne se fasse. Subitement irrité, il déposa le verre au pied de la femme et, se détournant, sortit de la pièce dans un ferraillement de bottes, de verrous et de porte claquée. Les murs frémirent. (Du temporaire, prévu pour peu d'années, s'étaient dit les fonctionnaires de Berlin en dessinant les baraques. L'Assainissement aura une fin, ce qui nous permettra de tout réduire en cendres. Comme le reste. Peut-être subsistera-t-il quelques briques de fondations? Pour ainsi dire, rien.)

Dès que l'homme fut sorti, la femme attrapa le verre encore chaud. Du lait se répandit sur son manteau. Elle lapa les coulées blanches, avala ce qui restait au fond du verre et lécha ses parois. Puis se leva et s'approcha de la table pour y déposer le verre. C'est alors qu'elle vit l'objet-de-peur. Il était là, près d'une lampe basse. À sa portée. Un oubli? pensa la femme. Non! Bien sûr que non.

Les cliquetis de fer la firent revenir à sa place. Quand il rentra avec un mince dossier dans sa main baguée, il la trouva debout. Contournant la table, il se mit à sourire. Oh! légèrement. Comme une contraction des lèvres, sans plus. Il venait de voir le verre vide. Seulement le verre. Il s'approcha d'elle. Son odeur âcre la fit éternuer. L'homme se méprit:

— Bien, très bien! Le lait chaud dégage la gorge. Assieds-toi.

Elle vit le sourire s'élargir. Il retourna à la table, prit la chaise, puis revint vers la femme.

— Maintenant, nous pouvons parler, lui dit-il. Fais comme moi, assieds-toi. La main-drapeau pointée vers elle ne tremblait plus. Il s'assit et se mit à lire: «Gerson, Claire, née le 28 juin 1914, rue Sauval, Paris…» Ah Paris! Paris! Bon, passons sur ça, sur ça… Ici, oui, important: «artiste-peintre»! Bien. Très bien. Une artiste. «Le 18 décembre 1943, arrêtée à…» Assieds-toi. Pourquoi t'a-t-on arrêtée?

La femme resta silencieuse.

— Réponds.

— Juive.

— Quoi?

—Juive.

—Je ne parle pas de ça. L'homme…

—Le chien, je l'ai…

—L'homme ? Parle-moi de l'homme.

— … tué pour le manger. C'était un vieux chien…

—Je ne veux rien savoir de ça. L'homme ?

— … très coriace. L'homme ? Le chien était entre lui et moi.

—Et alors ?

—La laisse trop tendue… Le pavé était…

—Non !

— … glacé. Il est tombé.

—Non ! non ! non ! Tu l'as tué !

—J'avais déjà le chien.

—Arrête ! Tout est écrit. Là. On vous a vus. Un témoin de qualité, un voisin. Je te lis sa déposition : « J'ouvrais ma boucherie, quand elle a surgi comme une furie, ce qu'elle est, je la connais, elle ne me demandait jamais rien. Jamais. J'aurais pu. Trop fière. Tête haute et tout et tout. Comme ceux de sa race ! » Bon, passons, passons… Ah oui ! Ici. Je reprends : « Elle s'est attaquée au petit homme, un brave homme bien tranquille. Je le vois tous les matins promener son vieux cabot, je veux dire son chien. La déesse rouge, je l'appelais comme ça à cause de sa maudite crinière de feu, la déesse rouge l'a donc attaqué par-derrière et renversé cul par-dessus tête. Comme une furie!» Que réponds-tu à ça, l'artiste?

— Il est tombé.

— Le témoin a tout vu. L'homme…

— Je ne voulais que le chien.

— Tu l'as tué… Toi!

Il se leva. Fit tomber la chaise. L'enjamba. Se retourna pour la pousser d'un coup de botte. Marcha au pas de charge vers la porte. La déverrouilla. La claqua. La répétition des gestes et des bruits et surtout leur théâtralité firent réfléchir la femme. Le revolver oublié près de la petite lampe aussi! Tout était prévu, se dit-elle, mais pourquoi? Il veut jouer au chasseur? Avec moi! Ses bras plongèrent dans les poches de son manteau d'où elle retira une boule de riz et une photo enveloppée d'un papier de soie. Mangea un peu. Mêlé à sa salive encore laiteuse, le riz était facile à avaler. Elle déplia le fin papier, caressa longuement la photo… Peu à peu, un petit garçon aux joues pâles refit surface. Elle le regarda jouer devant ses yeux. S'apaisa. Loin des objets-de-peur qui l'entouraient.

Lorsque la porte de fer s'ouvrit de nouveau, Claire Gerson, Juive française, était prête.

Il marcha vers elle sans la regarder, de la sueur humidifiait ses joues. Brusquement, il leva la main à la chevalière, créant ainsi, dans l'informe baraque, un instant de pure beauté : l'aigle d'onyx rencontra l'or du soleil dont les rayons, captés par un trou dans le mur, traversaient la pièce. C'est alors qu'une pluie de poussières incandescentes remplit l'espace, les enveloppant d'une nuée diaphane. Le temps sembla s'arrêter. Lorsque le SS baissa le bras, tout s'éteignit. Mais la femme et l'homme avaient vu le *même* scintillement. Immobiles un court moment dans la grisaille de la baraque, ils semblaient vouloir retenir en eux cette fugace lumière.

Il se remit à marcher et vint se placer de nouveau près d'elle, cette fois, elle recula. Il la suivit. C'était là sa conduite habituelle, avec les autres. Cette Juive n'était pour lui qu'une autre, et même moins.

— Tuer pour manger ! Une rate affamée sortie d'une cave, continua-t-il à grommeler, en essayant, sans la toucher, de la pousser sur la chaise.

Son odeur, qui révulsait Claire Gerson, la fit asseoir.

— Éloigne-toi, souffla-t-elle.

—Arrête de marmonner. Et enlève ton manteau. Fais vite. Plus que ça.

Elle continua d'enlever lentement son manteau, le replia avec soin sur ses genoux. Puis, retira de l'une de ses poches, le revolver.

—Qu'… qu'est-ce que…

—Un revolver.

—Oh! souffla-t-il en palpant sa ceinture, où as-tu…

—Arrête.

—Que fais-tu?

—Rien, répondit-elle, en déposant l'arme par terre. Quel est ton jeu?

—Aucune question, hurla-t-il. Tu n'as pas le droit. Ici, tu n'es…

—Qu'attends-tu de moi? Dis-le. Qu'attends-tu de moi?

Après un long moment, elle l'entendit maugréer:

—… ne respecte rien. Pas même la hiérarchie naturelle. Celle voulue par Dieu. Pourtant, de ma part… Oui. Tant de compréhension. Ah! oui, plus qu'avec les autres. Pour elle! Une tueuse de petits chrétiens! Moi, moi j'ai tous les droits. Elle! Ses maudits cheveux roux! Lu avec grande attention les deux feuillets de la Milice française. Bien traduits.

N'ai glissé sur aucune ligne. C'est inhabituel ça! D'habitude, je regarde seulement les photos. Toujours si mauvaises. Ma lettre à Paris à ce sujet: « Pas la peine d'acheter de nouveaux appareils, lui avait répondu un certain Dinkel, ils sont tous laids à mourir. D'ailleurs, tout ce processus d'identification va s'arrêter. J'ai des directives de là-bas. C'est si inutile. Et surtout, on n'y arrive plus. Trop nombreux! »

Paulina, son épouse… Lorsqu'il lui avait fait lire la réponse, ce qu'elle lui avait dit résonnait encore à ses oreilles:

— Trop d'eux et pas assez de nous, monami! C'était équivoque, mais réconfortant, comme toujours. De plus, à « laids à mourir », Paulina avait éclaté de rire! Enfin un peu d'humour, avait-elle hoqueté. Nous rions de moins en moins, monamour, ne devrions pas nous réjouir d'avance des temps nouveaux. De ceux qui ne pourront qu'advenir. Et rire d'eux, c'est excellent pour conserver notre moral. Ici nous…

Il l'avait interrompue, car il n'aimait pas du tout l'entendre parler d'« ici ». Pas du tout.

En lisant le dossier de la Juive Gerson, seule l'inscription « artiste-peintre » l'avait vraiment intéressé.

Bien sûr, le sort du brave homme, forcément, il faut que j'y pense. Enfin, pour l'exemple. Important, l'exemple. Mais, avait-elle fait ce que le boucher avait dit voir? Il ne devait pas se laisser troubler ainsi, s'était-il rappelé. Il avait compris ça depuis son arrivée au Camp. Primordial de ne pas se laisser déconcentrer. Une Française tue un Français, bah! Mais une Juive! Ça! Il avait écrit dans la marge de l'une des deux feuilles: «On peut s'attendre à tout de ces chiennes», après quelques instants de réflexion, il avait raturé «de ces chiennes» pour écrire «de cette race» afin de demeurer conforme, justice oblige, à la déposition du boucher.

C'est après avoir lu une première fois le procès-verbal qu'il avait décidé de surseoir à l'exécution rapide, pour plutôt, la jouer. Répondant encore une fois à son fantasme, s'était-il avoué, de légitime défense. Mais cette fois, avec une variation exceptionnelle: l'échec! Momentané, bien sûr. Momentané. C'est en lisant «artiste-peintre» qu'il avait eu une idée vraiment très «réjouissante», selon le terme de Paulina. Elle avait aussi qualifié son époux de «visionnaire»:

— Ton idée, Robertmonami, avait-elle ajouté, serait un bien précieux souvenir pour nos enfants et nos petits-enfants. J'en suis tout émue et très fière. Et mes parents et nos chers amis de Weimar, et...

Il avait cessé de l'écouter. Lui, il avait pensé au grand récit en train de s'écrire, à la postérité de son peuple, aux générations à venir. Souvent, Paulina lui semblait trop petitement maternelle. Mais cela lui plaisait, cet écart entre eux. L'élévation de mes pensées, avait-il souvent remarqué, rend ma supériorité, sur elle, indiscutable. Les femmes préfèrent l'intime, le familial, car elles possèdent un esprit domestique, lui avait enseigné l'Histoire. Et son ami Hermann Koch.

Toutefois, l'attitude de cette Gerson le faisait frémir. Cet accroc dans le déroulement anticipé le désarçonnait. Toutes les autres... Ah! toutes les autres femmes avaient essayé d'utiliser l'arme. Avec ces Juives, le jeu de la légitime défense s'était déroulé comme il l'avait prévu, lui. Sauf deux insignifiantes exceptions: une Russe qui l'avait mordu sauvagement, jusqu'à gruger la phalange de son index, puis une autre folle, enceinte! Il avait dû demander de l'aide. D'habitude, peu de traces. Wolff et un autre assistant de Koch venaient avec un brancard, essuyaient rapidement les petits dégâts et repartaient pour le labo où avaient lieu, entre autres, les dissections. Mais demander de l'aide aux kapos chargés des immondices… il n'avait pas aimé ça. Pas ça du tout. Deux d'entre eux avaient lavé le plancher et les murs à la brosse de fer, les tripes s'étant répandues partout. Des couleuvres visqueuses et puantes, sorties d'une vache pourrie et de son veau, leur avait-il dit, sans les regarder. Le lendemain, avec l'aide de Koch, médecin-chef du Camp, les deux boueux avaient disparu. Tout était redevenu propre pour les suivantes, dont la première, une grosse d'un ghetto du Nord, avait très bien réagi, avait-il confié à son comparse.

Pas comme cette Gerson! Il continuait à murmurer pour lui-même:

— Son détachement, son ton, ses maudits cheveux roux. Quelle prétentieuse!

Ça aussi, c'était à mourir de rire. Elle oubliait sa condition, son ascendance infâme. Sa race! Mais il ne fallait pas trop s'en faire, se rassura-t-il, elle était affamée, affaiblie, presque décharnée, malgré son allure de «déesse rouge», comme avait dit le boucher. Rien à craindre. Mais, se rappeler le chien. Tout pour survivre. Elle ne savait donc rien de l'Ordre? Pas la moindre idée de l'Assainissement? Et encore moins de la Pureté? Celle décrétée par le Guide Absolu.

[21]

Il se revit avec les autres femmes, ignorantes aussi des grands enseignements séculaires, mais qui, à leur façon, avaient collaboré. Cela avait été propre, expéditif, définitif. Elle, l'artiste, croyait qu'elle pouvait éviter de jouer le jeu, l'archaïque jeu du fort et du faible. Elle devait être matée. Juste assez. Il ne lui fallait pas oublier son idée. Il avait encore besoin d'elle! Enfin, pour un temps. Son caractère de cochon l'arrangeait en fait. Il aimait manifester son autorité. Presque autant qu'exercer la légitime défense. Aaaah! l'autorité. Sa vie antérieure remontait en lui comme une sève chaude. Ses étudiantes! Le pouvoir accordé à son poste. Son droit à lui, sur elles. Il y avait bien eu quelques récalcitrantes, mais rien à voir avec les deux sanguinaires et cette Gerson! Ses petites filles de Weimar… C'était bien loin tout ça. Ici, le grand-guignol du pur et des impures fonctionnait bien : le lait chaud, la découverte du revolver, la petite subversion, l'arme pointée, l'état de légitime défense, la balle dans la nuque et enfin… l'Assainissement.

Bien sûr, lui, n'avait pas besoin de s'appuyer sur le droit naturel du pur contre l'impur pour exercer son petit processus privé, comme il aimait se le rappeler.

En tant que membre du corps d'élite de la Schutz-staffel tout pouvoir ne lui était-il pas acquis? Sans ordre direct, il l'admettait bien. Plutôt… par ce qui se lit entre les lignes des notes administratives et des formulaires officiels, ou par ce qui se dit dans les administrations, sans se dire vraiment. Et bien sûr, bien sûr, par ses lectures et relectures de l'œuvre du Guide Absolu. En fait, s'avouait souvent le SS, c'est quelque chose comme un fantasme homologué, mon truc de légitime défense! Koch l'avait agacé longtemps avec ce penchant indu… S'était moqué de ses inutiles mélodrames. Trop de précieux temps en pure perte, lui avait-il dit, et qui pouvait enrayer le mécanisme, ou du moins ralentir son roulement. Il s'amusait, soit, avait poursuivi le médecin-chef, cependant, il ne devait pas ignorer le bon travail des douches… Une invention à nulle autre pareille, aussi inimaginable qu'efficace!

Le SS était resté sourd aux remontrances de son ami aux poches pleines de scalpels. Ses Juives de la légitime défense ne connaîtraient jamais l'efficacité, si relative, des douches. Même Koch, lui avait parlé des pleurs inutiles, des cris en vain et des gémisse-ments qui peu à peu s'affaiblissaient. Et des femmes et des enfants écrasés sous des centaines de corps.

— Seigneur Dieu! s'était exclamé le SS, en levant sa main-drapeau, moi au moins, je n'ai jamais touché aux petits enfants!

Koch, lui avait alors répliqué:

— Aurais-tu oublié, mon cher, l'avorton de la femme enceinte?

— Mais ce n'était pas un petit enfant, Hermann. Tout juste un tas de…

— Je sais, je sais, avait répondu rapidement ce dernier, pour faire taire Gustloff.

Koch avait confié à son premier assistant, le jeune Wolff, que les larmoiements de Gustloff commençaient vraiment à le fatiguer.

— Un Tsigane crasseux et inculte aurait plus de stature que ce falot! avait-il ajouté.

Pour le moment, c'était le cas de la Gerson qui faisait souffrir le SS. Sa question «qu'attends-tu de moi?» était si déplacée. Bien sûr, il n'avait pas répondu, se réfugiant dans ses pensées. Son silence rappellerait à cette furie le respect dû à l'autorité. J'ai tous les droits sur toi, avait-il eu envie de lui crier, en lui tordant le cou.

Pendant son silence, Claire Gerson s'était assoupie, la tête sur les genoux, les bras croisés. Quand il se pencha vers elle, l'odeur âcre suffit. Elle se redressa, reprit ses esprits et sa question, y ajoutant un élément qui perturba encore plus l'homme :

— Qu'attends-tu de moi, Obersturmführer Robert Gustloff?

— Quoi? Comment peux-tu connaître...

— C'est bien toi, non? «Mise à la disposition de l'Obersturmführer Robert Gustloff!» C'est pourtant ce que j'ai entendu. Depuis des jours et des jours, j'attends... C'est assez. Qu'est-ce que tout cela signifie, Gustloff?

— Tu n'es...

— Je sais qui je suis.

— ... qu'une Juive qui ne connaît rien à l'ordre établi...

— Arrête avec ça! Je me fous de ton grade, de ton nom, et surtout de «l'ordre établi». Qu'est-ce que «mise à la disposition» veut dire?

— Il n'y a rien à expliquer.

— Ah!

— Revenons plutôt aux faits pour lesquels tu as été arrêtée. Le boucher...

— Assez! Elle se pencha et fit glisser le revolver vers lui. Finissons-en!

Sur-le-champ, il décida d'oublier l'idée qu'il avait eue, ainsi que le jeu de la légitime défense. Dédaignant le revolver à ses pieds, il sortit son arme personnelle cachée sous sa vareuse, puis se leva pour contourner la Juive, afin de l'abattre. De dos, dans la nuque. Suivant, malgré tout, sa mise en scène habituelle, pensa-t-il, pour se réconforter. Mais se ravisa. Quelque chose dans l'attitude de sa prisonnière l'arrêta : tant d'insolence, tant de force, tant de détermination, malgré l'épuisement, malgré les os en surface... Trop belle prise !

Il lui ordonna de le suivre. Claire Gerson se leva lentement, malgré le revolver pointé. Le manteau posé sur ses genoux tomba par terre. Elle le ramassa avec attention, repassa du revers de la main les plis, s'arrêta un moment sur l'arrondi des poches, gratta les taches de lait et enfin le remit.

— Avance l'artiste, marche devant moi, cria l'Obersturmführer excédé. C'est tout droit. Avance !

— Essaie de me suivre, Gustloff.

— Chienne arrogante... Je t'aurai.

La femme savait marcher. Courir aussi. Elle accéléra le rythme en grignotant sa boule de riz. Ce qui n'éloigna pas son regard des bancs de béton troués qu'elle dépassait. Des trous immondes montaient des bourdonnements de toutes sortes. La coureuse qui avait eu droit jusqu'alors à d'autres latrines, frémit, trébucha, puis se reprit.

Ils couraient maintenant à l'extérieur, longeant deux rangées de barbelés. Gustloff avait replacé l'arme dans son étui et pris la tête, se retournant à tout moment. Bien inutilement.

— Où pourrais-je aller ? lui cria-t-elle.

Brusquement, il lui désigna une baraque, entourée de deux carrés de terre. Le regard de la coureuse glissa sur quelques fleurs rosâtres aux pétales tremblotants.

Cela suffit pour faire revenir devant ses yeux la petite fille du train, dont les tresses, retenues par deux rubans roses, tressautaient. La petite sanglotait. Personne dans le wagon surchargé n'avait pu s'interposer quand elle avait subtilisé la boule de riz que l'enfant tenait entre ses mains jointes. Soigneusement enveloppée dans un joli papier, avait remarqué la voleuse, en essayant de s'éloigner. Ce qu'elle n'avait pu faire.

— Stop! Entre!

La coureuse sursauta. Sans la toucher, le SS coinça la Juive dans l'angle d'une porte à deux battants qui, déverrouillée par la main-drapeau, donna accès à un couloir et à une autre porte, celle-ci à multiples verrous. Lorsqu'il commença à introduire son passe-partout dans les serrures, des chuchotements et des bruits de pas se firent entendre, puis se turent. Ils entrèrent dans une salle nue, éclairée par de nombreux néons. Devant eux, une dizaine d'hommes et de femmes en rangs serrés formaient une masse grise, silencieuse. À leur tête, se tenait une petite fille. La voleuse la reconnut dans l'instant, malgré les cheveux en broussaille et les mains tachées de lésions bleuâtres. Une plainte rauque s'échappa de la bouche de Claire Gerson.

Le SS s'avança de quelques pas vers la masse, qui recula. Sauf la petite qui fixait la femme rousse derrière lui. L'Obersturmführer l'ignora. Se tournant vers sa Juive, il fit un large geste :

— Bon. Voici. C'est ici que tu... Non !

Un choc sourd l'interrompit. La coureuse venait de s'évanouir. Quand sa tête toucha le sol, tous les prisonniers tressaillirent. Il hurla :

— Non ! Non ! Non ! La Juive ! Pas ça ! Pas de chantage ! Lève-toi !

Des coups de botte ponctuaient sa rage. Des bouches s'ouvrirent. La masse grise recula encore plus. Des paupières se fermèrent sur le doigt à l'aigle pointé en direction de la petite qui s'approchait, puis vers l'évanouie. S'adressant à celle-ci, il l'appela *femme d'orgueil.*

— Je t'avais laissé le choix, hurla-t-il au corps étalé à ses pieds. Un sifflement de balle pfff... c'était fini. À jamais fini pour toi! Tu n'as pas voulu de cette mort. Ton orgueil de vivre. Non! Ton ambition de vivre! C'est mauvais ça, l'ambition de vivre, reprit-il, levant les yeux sur la masse grise. Bien sûr, je ne peux vous émouvoir, Juifs que vous êtes, en vous parlant de droit, de décence et de moralité. Toutes ces choses que vous ignorez depuis deux millénaires. C'est pourquoi j'emploie le mot «ambition». (Son besoin d'expliquer, comme son désir de légitime défense, était si fort, qu'il avait pris l'habitude depuis son arrivée au Camp, avait-il expliqué à Koch, de poursuivre ses plaidoiries inlassablement. Et à sens unique.) Mais vous n'êtes plus comme elle. Ici, vous avez appris de force l'humilité. C'est bien.

En leur parlant, tout son corps bougeait. Il se mit à tourner sur lui-même. Quelques brefs sourires dans la masse saluèrent cette pitoyable valse qui lui faisait perdre le contrôle de son corps, ce qui apaisa peu à peu leur peur. C'est ainsi qu'il se retrouva trop près d'eux, ne laissant pas la distance prescrite, garante de la pureté. (Règles apprises de son épouse von Thaden très au courant, il le reconnaissait, des convenances raciales.) La petite fille, en face de lui, leva le bras. Pour le toucher? Le faire reculer? L'obliger à se taire? Chassant l'insecte, la main-baguée fendit l'air, attrapant la joue devant lui. L'entailla. Pas de cri. Seul un murmure courut le long des murs. Des jumeaux, aux drôles de jambes, se détachèrent du groupe et vinrent éponger la balafre, d'où coulait un sang clair, presque rose. Prenant la fillette par la main, ils la firent rentrer dans la masse qui resserra alors les rangs. Claire Gerson bougea. L'Obersturmführer lui cria du fond de la pièce de se relever, puis marcha vers elle, cou devant...

— Un stupide héron! murmura une femme.

— Plus bas, Séné, soupira une voix.

Claire Gerson sentait bien l'odeur du Nazi, mais ne pensait qu'à la petite... Fidèle à ses volte-face, délaissant les cris, Gustloff était passé aux chuchotements:

— J'ai vu moi aussi les poussières lumineuses, la Juive, souffla-t-il en allongeant encore le cou, mais elles se sont éteintes. À jamais. Ne reste plus que de la poussière grise. Non, non, de la cendre! C'est ça, de la cendre!

Il se mit à rire. S'adressant aux paupières qui seules réagissaient, il continua:

[31]

— Quand tu as tué le brave homme, as-tu vu des poussières lumineuses ?

Le rire se transforma en claquements secs. Il s'était redressé et remis à danser. Cette fois, en tapant les talons sur le sol dans une trépidante polka. Copie conforme du Guide Absolu, quand il apprenait une victoire. Là-bas.

Soudain, il y eut un peu de brouhaha. Et des cris. Une des femmes de la masse grise s'était accroupie et vomissait par saccades quelque chose de visqueux.

— Oh Bella ! Ma Bella ! répétait à voix basse Séné.

Le faux danseur s'arrêta, jappa quelque chose d'inaudible, enjamba sa prisonnière et sortit dans le fracas habituel. Aussitôt, on entoura la vieille. Certains la soutenaient, pendant que d'autres caressaient son dos. Sa voisine de rang roula son foulard de coton en boule et essaya de nettoyer le sol. Bella n'arrêtait pas de se répandre. La cacher devenait urgent.

La petite fille observait la malade, tout en suivant du doigt l'archipel de sang séché sur sa joue. Quand Bella fut transportée délicatement au dernier rang de la masse, la petite s'approcha de nouveau de la femme rousse, toujours étendue près de la porte.

— C'est grave, voler la nourriture d'une petite fille sans maman, lui dit-elle, mais à côté du Bloc 10…

Oh! à côté du bloc 10, ce n'est rien du tout, du tout. Bella ne veut plus vivre ça. C'est pourquoi elle se vide le corps de partout. C'est tout ce qui lui reste, son vieux corps. Bella veut mourir avant de devenir... Je m'appelle Lilian Maisel. Et toi?

— Claire... Gerson.

— Ah.

— Bien des mois ont passé depuis... le train. J'ai honte, maintenant... Si honte.

— Oui. Je sais.

— Pardonne-moi, petite Lilian.

— Je n'ai pas le temps de pardonner. Je dois mémoriser beaucoup de fables. Et observer tout. Tu devrais te relever. Il va revenir... Bella... Il va la jeter dans une des fosses. Pas lui, non. Lui, ne touche pas aux morts.

— Elle est morte?

— Pas encore. C'est pour ça qu'il faut parler. Sans ça, je dois commencer à réciter mes fables... Oh, tu te lèves.

— Il est temps.

— Tiens. J'y pense... tu es la première personne vivante que je reconnais *depuis l'après*. Toutes les autres, jamais revues! Évidemment, elles sont... Tu sais, j'ai un plan.

— Un plan ?

— Oui, un plan de quand-même-vie ! Tu veux m'aider ? Oh ! chut…

L'Obersturmführer venait de rentrer, accompagné d'un kapo. Ils allèrent rapidement au dernier rang de la masse grise, là où ils savaient retrouver la vieille femme. Le kapo chargea le corps encore palpitant sur ses épaules et se dirigea vers la porte, évitant de regarder ceux qui le suivaient des yeux. La porte avait été laissée grande ouverte. Un oubli, sans doute. Ce qu'avait remarqué Lilian Maisel, et surtout… le pourquoi de l'oubli. Un dérèglement dans l'ordre des choses, se dit la petite, déposant ce précieux détail dans sa mémoire. Pour son plan. Elle se mit alors à scander à voix basse :

— Quand ils sont énervés, par l'ordre non respecté, ils laissent les portes ouvertes. Quand ils sont énervés, par l'ordre non respecté, ils laissent les portes ouvertes. Quand ils sont énervés… Lilian se répétera la phrase onze fois. Puis s'arrêtera.

C'est son institutrice *d'avant* qui avait parlé des onze fois :

— Mesdemoiselles, disait-elle souvent, pour bien mémoriser, on doit répéter onze fois de suite et sans s'arrêter ce que l'on ne veut pas oublier.

C'était une bonne institutrice, Madame Lepsâtre. Mais elle était devenue un peu bizarre… plus lointaine dans sa voix et dans ses yeux. Un après-midi de juin, la petite fille se le rappellerait toujours, elle l'avait fait lever. Comme sept de ses camarades. Elle avait su qu'elles étaient huit, car l'homme au brassard avait dit qu'«avec huit de plus, bon, bon, bon, il n'avait pas perdu sa journée». Il les avait poussées vers la porte. Mais Lilian avait eu le temps de saluer l'institutrice. Ce jour-là, Madame Lepsâtre n'avait pas répondu. Elle était même devenue rouge sang-de-bœuf. Comme le châle de la grand-mère Adel, inscrite à jamais dans la mémoire de Lilian, par cas de force majeure de peine, avait-elle dit à Rebekka, sa petite grande amie de Camp. Sa confidente.

Sa grand-mère Adel… Ce soir-là, elle avait demandé à ses deux filles de venir, avec la petite Lili, «désattrister» leur vieux père, comme elle leur avait dit, parce qu'il ne pensait qu'aux terribles rumeurs qui ne pouvaient être vraies. Que ce n'était qu'un mauvais moment à passer. Qu'il y en avait eu beaucoup d'autres. Que tout s'apaiserait, comme d'habitude. Que cela recommencerait… mais plus tard. Bien plus tard. La famille était attablée quand, après quelques coups à la porte, deux hommes en ciré noir étaient entrés, intimant aux époux Adel de les suivre pour une troisième identification. Grand-mère, debout près de la porte, s'était tournée vers le couloir pour aller chercher son «châle rouge sang-de-bœuf et une veste pour mon époux, car il fait froid ce soir, Messieurs», avait-elle murmuré. Pensant peut-être qu'elle voulait s'enfuir, le plus jeune des deux hommes l'avait abattue pendant qu'elle trottinait vers sa chambre. Sous les gémissements des deux filles et les hurlements de la fillette, les hommes en noir avaient laissé le corps, allongé sur le ventre dans le couloir, mais avaient amené le grand-père qui s'était laissé faire. Quelques minutes plus tard, il y avait eu d'autres cris. Jean-Jacob Adel venait de sauter du quatrième palier, là où, il le savait bien, la main courante ne tenait plus que par une vis.

Le souvenir du dos troué sur le tapis du couloir et de celui du sifflement de la chute dans la cage d'escalier perturba la répétition de la petite fille. Elle essayait de se reprendre, n'y arrivait pas. Alors, elle eut recours à un autre truc, un truc de bébé, s'avoua-t-elle, celui des yeux fermés bien durs et des mains sur les oreilles. Elle put ainsi recommencer doucement sa répétition «Quand ils sont énervés par l'ordre non respecté… » si importante pour son plan de quand-même-vie.

L'Obersturmführer avait repris sa harangue. Personne, évidemment personne ne l'écoutait. Il s'en était rendu compte. Aucune importance! Un seul but à sa logorrhée: croire à son idée, à son projet. Ce qu'il nommait, depuis peu, sa mission! S'adressait-il à la masse grise? Non. Bien sûr. Lui! Parler à ces sous-hommes? Seule la petite fille n'arrivait pas encore à être ce qu'elle était: rien. Et bien sûr, la rousse! La *femme d'orgueil*! Elle, il se promit de lui régler son compte. À la fin de la mission. Évidemment. À eux aussi. Il balaya de son regard la masse grise, n'y voyant que des choses. Des objets inanimés. Il se murmura, comme pour mieux assimiler ce que lui avait dit Hermann Koch, lorsque ce dernier lui avait expliqué, à son arrivée au Camp, certaines règles en cours:

— On ne peut les toucher. On ne peut leur parler, vraiment leur parler. Est-ce que l'on parle à un objet? Non, on l'utilise. C'est tout. Bien entendu, bien entendu, on ne peut leur sourire. Mais rire d'eux, oui! Ça c'est permis.

Le soir venu, il continuerait son discours. Cette fois, devant une vraie personne. Devant Paulina

Gustloff, née von Thaden, par la grâce de Dieu et de ses ancêtres. Paulina n'allait jamais au Camp. Jamais. Elle avait tant à faire. Ce qui ne l'empêchait pas d'être pour son époux, comme elle se décrivait elle-même, une fidèle et patiente réceptrice. Contrôlant par la suite ce qui s'imprimait en elle, car elle ne voulait mémoriser que les choses importantes pour les enfants, pour elle... et pour lui, bien sûr.

— L'Organisation a créé un immense aspirateur! lui répéterait-il de sa voix de clairon rameutant les chiens.

Paulina acquiescerait rapidement. Évidemment, l'épouse avait déjà entendu le dit de l'aspirateur et, bien qu'elle en connaisse chacun des mots, elle l'écouterait avec grande attention... Presque couchée sur les blanches mules de son pape, bien à elle. Il parlerait de la puissance de l'appareil. Oui. Et des lieux à désencrasser: autant les salons que les écuries, en passant par les boutiques et les synagogues. Tout ce travail salissant pour atteindre la pureté. La rendre possible. Baissant la voix, il s'apitoierait sur lui-même. Paulinamafleur délaisserait alors son travail de confidente, pour celui de nourrice. Elle irait dans la cuisine préparer l'habituel lait chaud, bien sucré. Elle reviendrait près de lui et le lui offrirait, accompagnant son geste de son incantation rituelle :

— Dure, très dure, l'atteinte de la pureté. Cependant, Robertmonami, si nécessaire. Bois. Bois. Ton mérite est grand. Remercions le Seigneur qui nous a créés.

Peu à peu, l'agitation de l'époux s'apaiserait. Il se sentirait compris. Et peut-être même… aimé. Ce sentiment si énigmatique…

La tête de Claire Gerson décrivait de lents demi-cercles, afin d'enrayer la raideur qu'elle ressentait dans le cou et les épaules qui avaient été malmenés lors de l'évanouissement. C'est ainsi que ses yeux rencontrèrent ceux de la petite fille, en attente d'une réponse :

— J'ai un plan, tu veux m'aider ? lui avait demandé Lilian Maisel.

Comment lui répondre ?

— Un plan… ici !

Parlant au-dessus d'elles, le SS continuait à répéter son oraison. Soudain, jouissant trop rapidement sans doute de sa sainte parole, il éructa. Claire Gerson et Lilian Maisel sursautèrent fortement ; elles ne possédaient pas encore le stoïcisme de la masse grise qui, elle, n'avait pas bougé. Le regard interrogateur de Claire monta vers Gustloff, qui le capta, ravi… Tout à fait ravi. Il se remit à piétiner sur place, levant les bottes, levant les bras, reprenant son ton de porte-voix:

— Ah! de retour parmi nous, l'artiste. Regarde! Ici, c'est… ton studio. C'est ça. Le studio de la survie. Ta survie! Leur survie! Qu'en penses-tu? Hé, ho, hurla-t-il, je te parle l'artiste! Pas à toi, vermine.

La petite fille, plus étonnée par le mot «survie» que par celui de «vermine», recula lentement vers la masse grise, maintenant plus compacte… en apparence. Remplir rapidement le vide laissé par Bella, emportée au bûcher, avait été un réflexe de Camp. L'expérience acquise lors des appels avait enseigné aux prisonniers qu'un trop grand espace entre eux inquiétait les SS, les rendant apeurés, donc dangereux. Malgré cela, la masse grise avait laissé là où s'était tenue la vieille Bella Levaï, leur amie de Camp, un demi-pas de vide. Sa trace, avait décidé Séné Cioban.

L'Obersturmführer venait de qualifier de «studio de la survie», une baraque vouée à la destruction, à la mort. Mentir était devenu pour lui une façon de «transfigurer la difficile, mais si nécessaire réalité du Camp», avait-il avoué à Hermann, un soir d'épanchements. Cependant, la vacuité de son vocabulaire, où le pire et l'horrible se magnifiaient tout en surface, n'avait aucune emprise sur «Salomon Goldmann, charpentier de Varsovie» ainsi qu'avait l'habitude de spécifier le 93634, chaque fois qu'un SS ou un kapo se servait de son matricule pour le nommer. (Les coups qu'il recevait comme réponse n'avaient, à l'évidence, aucun effet.) Si Gustloff avait pris conscience de la vraie nature du charpentier, il l'aurait jeté lui-même dans l'une des fosses du Camp.

Esprit libre, Salomon Goldmann était à la recherche de la reconnaissance d'une seule et unique chose que *l'après* lui déniait: son humanité.

Parvenant à peine à contrôler son enthousiasme, nourri par Paulina, l'Obersturmführer expliquait enfin à ses prisonniers cette «mission» à laquelle tous participeraient. Ce qu'il attendait de l'artiste Gerson et de la masse pouvait être résumé en quelques mots, leur dit-il: l'artiste va le peindre... Lui! Avec eux! Lui en majesté, comme Dieu, oui, oui, Dieu, et eux l'entourant, le contemplant, le célébrant. Une œuvre testimoniale essentielle pour la postérité! Tous allaient travailler pour la postérité, car les descendants à venir devaient se souvenir de l'Organisation, de l'Assainissement, de la Grande Sélection des races. Et surtout, de la juste raison de cette Sélection! Afin de la commémorer et de la perpétuer. La séparation du blond et de l'ivraie a été voulue par le Tout-Puissant lui-même. (Il avait voulu expliquer cela à la femme enceinte, se rappelat-il, quand elle avait essayé de l'égorger d'une seule main. L'autre tentant de protéger son gros ventre de vache!) Alors que son regard ne balayait que des visages impassibles, Gustloff poursuivit avec la certitude d'un prédicateur de haute volée, son exhortation : tous devaient se remémorer le pouvoir ancestral des Maîtres. Et tant d'abnégation de leur part serait récompensée par les Forces pures qui se profilaient déjà à l'horizon d'un monde nouveau tourné vers la grandeur des Anciens en marche vers de nouveaux sommets à… Un soupir l'arrêta. Il abaissa les yeux sur ces pauvres êtres qui semblaient ne rien comprendre.

— L'artiste, hé! la Gerson. Oui, toi! Et bien, tu vas me peindre assis bien droit, en majesté, comme je l'ai déjà dit, et eux debout, non, à genoux, à mes pieds, m'entourant de…

— Je ne ferai jamais ça, Gustloff.

— Bien sûr… Bien sûr.

— Jamais.

— C'est ça. Ce sera une vision sans pareil du *Pater familias*, du Seigneur et de ses serfs, du Prince et de ses sujets ! Un simple croquis, non. Une œuvre exemplaire ! Euh, plutôt, une série d'œuvres. Il y a tant à se souvenir. Tu auras tout le matériel ar-tis-ti-que que tu voudras. Et tout le temps nécessaire. Tu seras la souveraine de ce studio, presque mon égale et…

— C'est non !

— … après les poses, tu mangeras le meilleur du cochon !

La masse, qui semblait jusque-là indifférente, frémit. La voix de Séné s'éleva.

— Pour nous aussi, du cochon ?

— Oui… Pour tous ! répondit vivement Gustloff, qui venait de saisir le vrai poids du lard.

— Chantage… murmura Claire Gerson.

— Tu oublies quelque chose l'artiste : c'est moi qui décide. Ah ! en plus d'être orgueilleuse et de ne rien connaître de la hiérarchie, tu es aussi égoïste ! Tu ne penses qu'à toi ! Et eux ? Regarde-les. Du cochon. Tous les jours, du cochon. Et, j'y pense, pas de visites… euh… sanitaires, voilà, pendant toute la mission. D'ailleurs la vermine, là, la petite maigre et bleue de partout, elle aurait bien besoin d'un peu de lard.

— Non !

— Je crois que tu es une… Quoi ? Arrière vous deux !

Se détachant de la masse grise, une femme et un homme enlacés venaient de s'avancer. Ignorant le Nazi, ils se mirent à parler à Claire Gerson :

— Pourquoi refuser ? Pourquoi refuser le cochon ? Ce… travail, c'est peu…

— Moins que rien ! cria une voix. Manger du cochon, c'est manger !

— Nous sommes si affamés, reprirent les deux enlacés. Ici, le cochon n'est pas interdit. Ici, les proscriptions n'existent pas. Ici… Dieu est absent. Pourquoi ? Pourquoi refuser le cochon ?

— Oui, pourquoi refuser le cochon ? répéta la masse, devenue chœur récitant. Nous avons si faim. Assouvir, enfin, assouvir nos corps affamés. Du cochon dans nos gamelles, puis dans nos ventres. Nous savons. Tout se sait au Camp. Tu as tué un chien… Peut-être un homme. Tu as volé une enfant. Pour apaiser ta faim, pour survivre quelques jours de plus. Ne nous refuse pas cette chair rose, ce sang rouge, ce gras blanc. Nous t'en prions, l'artiste.

La voix de la petite fille s'éleva :

— J'ai besoin moi aussi de quelques jours de plus, Claire !

Piégée comme une ourse coupée de son petit, Claire Gerson réagit sur-le-champ. Elle accepta « l'ignoble marché », comme elle le dit au dos de l'Obersturmführer qui, se désirant grand seigneur, s'était rendu absent à ce qu'il appelait, en lui-même, « la cochonnerie ambiante ». Bien qu'il ne fût qu'un proxénète tirant du cochon ce qu'il saurait monnayer, lui lança la Gerson, jalouse, pensa-t-il, de son autorité naturelle, il remercia son Dieu qui, Lui, était là. À ses côtés.

— N'est-ce pas Seigneur ? Tu es bien là. Je travaille à ta gloire, Je sais que Tu le sais. Tu as réduit au silence la terre entière, afin que nous puissions poursuivre l'Assainissement. Merci à toi, Souverain Juge.

Sa prière dite, il pensa à Koch. Son petit dieu à lui. Quand toute cette fausse représentation de l'acquiescement serait terminée, Gustloff irait le voir pour leur habituelle sortie hygiénique. Ils boiraient à la postérité. Riraient du cochon défendu et de ses nouveaux adorateurs. Surtout, ils s'esclafferaient en parlant de sa courtoise demande. Si la Juive avait refusé, une balle dans la nuque… pfff… Et les autres, renvoyés sur la table d'examen. Pendant un très court moment. Koch ne pourrait pas les garder longtemps. Trop bavards. Pour ce qui était de sa mission, aucun problème. Un convoi d'anarchistes italiens s'annonçait. Parmi eux, il pourrait sans doute trouver un artiste qui collaborerait, lui. Un peu plus de temps ne changerait rien au résultat. Gustloff mimerait, pour Koch, la rousse répondant : « Je ne ferai jamais ça ! » Les grosses lèvres de Koch deviendraient humides, celles de Gustloff encore plus minces. Leur teint rosirait de plaisir. Le médecin se lécherait le pouce gauche. Sa manie de jouisseur. À côté de lui, l'ego de Gustloff se gonflerait sous l'appréciation de son ami. Il se tromperait, encore une fois. Hermann Koch se servait de l'Obersturmführer. Il ne voyait en lui qu'une baudruche se baladant dans le ciel puant du Camp. Gustloff n'était que l'un de ses pourvoyeurs d'organes. Des corps morts, soit, mais intacts. Enfin, presque... Seulement avec un petit trou à la nuque, ce qui n'était rien, chuchota-t-il, à son jeune assistant Wolff, amusé par l'image de la « baudruche ».

Ce dernier connaissait par cœur le grand mépris de l'Hauptsturmführer Koch, pour l'Obersturmführer Gustloff, et pour l'humanité tout entière, lui avait-il avoué, un jour de confidence. Le médecin-chef ne pensait d'ailleurs pas du tout, comme Gustloff, à la postérité, aux générations à venir. Pour lui, la vie s'arrêterait à l'instant où il la perdrait. Quand il exultait, c'était pour ses propres illuminations : inciser la peau, tailler les tissus, couper les os, enfoncer les doigts dans le mou, dans le visqueux, arracher les boyaux... Puis analyser, observer, déduire, comprendre et jouir ! jouir ! jouir ! Nul descendant ne naîtrait de ses cobayes, il le savait. C'était le présent du présent qui comptait pour Hermann Koch. Pour ce qui était de l'avenir, ses carnets de notes suffiraient à perpétuer son nom. De toute façon, tous ces regards de mouches affolées ou ces corps exsangues, étendus sur la table d'examen, finissaient par l'épuiser. Quelquefois, cher Wolff, je rêve d'une forêt primaire où je pourrais contempler le merveilleux travail des pics noirs sur les troncs, avant qu'eux aussi, comme la forêt, ne disparaissent. À tout jamais.

En silence, les prisonniers s'approchaient un par un de Claire pour la remercier, touchant ses mains, ses joues... Ce qui devait troubler l'Obersturmführer, car il se mit à tourner en rond dans la pièce.

— Le silence me fait peur, avait-il murmuré à son épouse, un soir de ciel plombé, tous les silences.

C'est pourquoi le discours tonitruant de l'Assainissement alimentait son flot de paroles et que les bruits de l'Organisation confortaient ses oreilles. Mais le silence du Camp... Il avait fait poser des doubles fers à ses bottes afin de s'entendre marcher dans les couloirs où tous les innommables disparaissaient à sa vue, même les rats obèses sortis des latrines.

Il éleva donc encore la voix et commanda aux prisonniers de retourner tout au fond du studio, à leur place. La masse grise obtempéra et se recomposa... toutefois, avec une certaine lenteur et une attitude plus détendue. Ainsi, quand la petite fille, en reprenant sa place à l'avant, se mit à chantonner la fable du *Chameau et les Bâtons flottants*, « De loin c'est quelque chose, et de près ce n'est rien », il y eut quelques sourires et des balancements de hanches et de bras. Il ne les vit pas. Ou les ignora.

Il reprit sa harangue, expliquant la beauté du travail à venir. De temps en temps, il s'adressait directement à la masse grise :

— Est-ce vraiment du travail ça, poser pour une œuvre de mémoire qui vous inscrira dans l'Histoire?

Votre collaboration, le savez-vous, deviendra connue et appréciée à sa juste valeur, car vous êtes, oui, oui, à votre manière, vous êtes des participants essentiels à l'édification des générations à venir.

Remarquant que ses paroles ne lui apportaient aucune approbation, il se tourna vers l'artiste. Celle-ci somnolait, la tête entre les mains. Il se mit à hurler :

— Demain. Tous ici au lever du soleil !

— … Demain ? Non, pas demain, Gustloff.

— Toi l'artiste, fais une liste de ce que…

— J'ai trop faim pour ça.

— Tant pis. Je choisirai pour toi. Demain. Dès…

— Je ne pourrai pas dessiner. Je dois manger. Eux aussi. Le cochon commence ce soir.

— Non.

— Ce soir le cochon, demain encore le cochon et le repos, après-demain le début des poses… Sans oublier évidemment le cochon et…

— Arrête ! Bon. C'est vrai que je n'ai pas encore le chien.

— Le chien ?

— À mes pieds. Couché à mes pieds. L'autorité de l'Homme sur l'animal. C'est drôle, l'artiste, ça me rappelle le brave homme et son cabot. Mais défense de le tuer celui-ci, je m'en occuperai. Je déteste les chiens. Ils sont si serviles. Tu as fait du bon travail à Paris !

Il recommença à éructer. Rapidement ses rots se transformèrent en petits cris rieurs. À travers ceux-ci, il promit le cochon pour le soir même, qu'il appela le jour un, suivra le jour deux, celui du grand repos avec cochon, et enfin, enfin, le jour trois, le début des poses avec cochon et tout et tout. Et tout et tout signifiait que ce jour-là, le trois, on leur donnerait des vêtements plus conformes à leur mission, le chien serait présent et l'artiste aurait en sa possession le matériel requis. Et de qualité supérieure ! (Un peu de temps avant le début des poses, c'était bien, s'était-il dit, car si obtenir un chien rapidement était possible, ce n'était pas le cas pour le matériel d'artiste qu'il devrait sans doute faire venir de là-bas.) Content de lui, il explosa de rire ! La petite fille se joignit à lui, entraînant à sa suite, après leur avoir parlé à l'oreille, les jumeaux aux drôles de jambes. Ils riaient de bon cœur de cet Obersturmführer qui ressemblait, en plus vilain et en plus nigaud, aux clowns de leur enfance *d'avant*. S'étant arrêté de rire, le SS les regardait perplexe. Il se rassura, comme toujours par la dérision :

— Une demeurée et deux tarés, marmonna-t-il, de bons sujets à retourner aux mains d'Hermann… quand j'en aurai fini avec eux. D'ailleurs, j'y ajouterai la rousse. Elle regrettera le trou dans la nuque.

Puis, enfin exténué, Gustloff fit venir la gardienne Daria et ses comparses et renvoya tous ces innommables à leurs baraquements, leur ordonnant, si inutilement, de revenir le soir même au studio, manger du cochon bien gras.

Plus tard, retournant au studio de Gustloff, les yeux de Lilian Maisel s'agrandirent : malgré la lumière crue des projecteurs, le soleil couchant enveloppait d'une nuée rose, striée de jaune, les murs des baraques, les allées de terre granuleuse et les pierres de la place d'appel, leur donnant, en fin de journée, l'allure d'une jolie rue *d'avant*. De stupeur, la fillette et la gardienne, qui la reconduisait au cochon, s'arrêtèrent, se sentant sans doute transportées dans un ailleurs qu'elles n'habitaient plus.

Une vibration soyeuse fit lever leur tête. Dans le ciel embrasé, glissaient des dizaines d'oiseaux aux longues ailes recourbées.

— Des martinets, murmura Daria, en les désignant de son bras, ils chassent les insectes qui se tiennent très haut dans le ciel.

Lili la regarda avec surprise, c'était la première fois que la gardienne s'adressait à elle vraiment et sans hurler. Elle ne comprenait pas tous les mots, mais savait que la Polonaise parlait des oiseaux.

— Après leur chasse, continua Daria, en ramenant le bras vers le Camp, ils vont revenir nourrir leurs oisillons qui les attendent, bien au chaud et bec ouvert, dans les cheminées.

— Non, Daria, pas dans les cheminées! s'exclama la petite, qui connaissait bien le sens du mot «cheminées».

— Oh! non, non, s'écria à son tour la gardienne qui semblait se réveiller, pas dans les cheminées! C'est impossible... La fumée grasse... Non!

Elle happa la main de sa prisonnière, l'entraînant au pas de course hors du cercle lumineux. Si trompeur.

Dans le faux studio, la masse, fractionnée en dix-sept têtes penchées sur les gamelles, mangeait en silence. Toutefois, la cadence accélérée des cuillères raclant les bols faisait entendre une petite musique guillerette. Peu à peu, quelques sourires apparurent, dont celui de Claire, étonnée de se sentir bien au milieu de ces prisonniers qu'elle ne connaissait pas. Et puis, il y avait assez de gros morceaux de lard pour les réjouir tous. C'était si bon que peu à peu des murmures de contentement s'élevèrent. Les plus vieux et les plus vieilles, rassasiés rapidement, donnèrent ce qui leur restait aux plus jeunes. Ce geste amena en eux des sentiments oubliés à force de malheurs, ce qui leur fit presque autant de bien que le cochon. Seule la gardienne, qui avait reçu l'ordre de rester avec eux, ne mangeait pas. Les yeux fixés sur sa montre, Daria attendait l'heure d'ouvrir la porte. Les Juifs mangeraient très vite, lui avait dit l'Obersturmführer, plusieurs seraient malades toute la nuit... Malades comme des cochons! Daria ne s'était pas jointe aux rires de Gustloff. Elle détestait les officiers du Camp, particulièrement cet homme mou aux cheveux gras, pensait-elle, chaque fois qu'elle l'entrevoyait avec le gros Koch aux dents écartées. Elles les avaient déjà entendus s'esclaffer et n'avait pas aimé ça du tout. Pourtant, quand son salon de coiffure se remplissait de rires, Daria Jablonowski se trémoussait de plaisir. Madame Irina s'avérait la plus moqueuse. Une vraie bouffonne! Elle riait même de son mari qui bégayait quand il s'approchait d'elle...

L'ex-coiffeuse pensait encore à madame Irina, quand la petite aux broussailles vint lui offrir un morceau de viande, aussi rose que le ciel, lui dit-elle, en tendant sa main vers le plafond aux néons. Saisissant la gamelle, Daria la projeta en direction de la masse. Les cuillères se turent, pendant que la gardienne reculait, reculait, s'éloignant le plus possible de ces rats, barbouillés de graisse. Elle se tourna vers un mur, afin de ne plus voir…

— Ces bêtes! murmura-t-elle au mur de bois, c'est pour eux que moi, Daria Jablonowski, je dois vivre ici! C'est à cause de ces sales pouilleux, indignes de me regarder, de me parler, de me toucher, que mes cheveux tombent par plaques. Moi… Une coiffeuse… Même s'ils savent lire et écrire, ils ne pensent qu'à manger!

La vieille Séné se pencha vers la petite en lui remettant la gamelle qu'elle venait de ramasser et de nettoyer:

— Lili, lui dit-elle, contre qui d'autre cette pauvre fille peut-elle tourner sa colère, sinon contre ça, le cochon. Et contre nous. Tu souris Lilianotta… Tu penses à ton plan, hein? Tu nous fais du bien avec ton plan.

Son plan… Bientôt, peut-être. Quelques radicelles d'espoir s'enfouissaient de plus en plus en Lilian Maisel. La petite, fine mouche comme pas une, avait remarqué la confusion à peine perceptible qui flottait depuis une semaine à l'intérieur du Bloc 10. Sans trop comprendre pourquoi, Lili aimait ce léger bouleversement des règles. Tout avait commencé par l'oubli de l'immuable injection du soir. Le lendemain de cet oubli, Lilian avait calculé que neuf minutes, oui neuf, s'étaient ajoutées aux cinq habituelles, entre le lever et l'aboiement du premier appel au pied des châlits. Elle en avait profité pour se réciter onze fois *Le Renard et la Cigogne,* fable qui faisait partie de son plan de quand-même-vie. Elle en avait été ravie. Peut-être que ce petit dérèglement signifiait que les renards rusés, semblables à celui de la fable, seraient à leur tour trompés.

Claire Gerson dormit dix heures. Procédure exceptionnelle avait bien spécifié l'Obersturmführer :

— Aucune analyse, aucun traitement spécial et il ne faut pas la réveiller pour l'appel. Je n'ai besoin d'elle que demain, au lever du soleil.

Daria lui avait obéi bien que dans sa vie *d'avant* le travail qui rend libre, elle n'obéissait qu'à elle-même. La gardienne du Bloc 10 aimait se souvenir du temps où elle était patronne coiffeuse. Son métier ne lui avait pas demandé de savoir lire, uniquement d'aimer la propreté… et les cheveux. D'ailleurs, les cheveux roux de la dernière arrivée lui plaisaient beaucoup. Épais et légers à la fois, et de si jolies boucles, avait-elle chuchoté, quand, au petit matin, elle l'avait recouverte d'une seconde couverture. De presque laine. Ce geste de compassion avait dû la surprendre, car elle se détourna de l'assoupie, se sentant légèrement tremblante. Cela lui était bien inhabituel.

Depuis le début de *l'après*, Daria Jablonowski était devenue une femme dure au cœur de pierre. Elle en avait décidé ainsi, par grande précaution envers elle-même. C'est pourquoi elle ne regardait jamais les femmes dont elle s'occupait, se contentant de les balayer du regard. Quand elle ne pouvait faire autrement, elle fixait un de leurs membres : une épaule, une main ou un pied. Daria ne les appelait jamais par leur nom, seulement par leur numéro matricule, car elle était trop sensible aux noms... Surtout aux prénoms. Depuis toujours, s'avouait-elle souvent, la petite musique des prénoms la rendait heureuse. Elle avait toujours beaucoup aimé appeler ses chères clientes par leur prénom ; rajoutant, par déférence, un très poli Madame. Il en était ainsi avec Madame Tesia, Madame Jolanta, Madame Irina et ainsi de suite. Ici, dès le lever du jour, Hannah, Judith, Rebekka et la petite Lilian n'étaient pour elle que des numéros. Ce tatouage, ne remplaçait-il pas l'acte de naissance ? L'identification au bras c'est mieux, avait-elle répondu à une ancienne cliente à peine reconnaissable, retrouvée au bloc 10, qui lui avait rappelé avec insistance son prénom. Je ne vous savais pas Juive, avait-elle ajouté, en fixant un maigre avant-bras secoué de spasmes.

Daria devait demeurer inflexible. Surtout qu'ici, s'était-elle dit, ce n'est pas comme aux cuisines, son premier travail au Camp. Ici, il y a des enfants. Elle devait être encore plus sévère envers eux. C'étaient de si petits petits. Plusieurs ne grandiraient jamais. Enfin, tous. Les enfants ne comprenaient pas cela. Ne semblaient pas accepter leur condition. Ils voulaient grandir, jouer, chanter et faire des choses inacceptables, comme la prendre par la main ou toucher son sarrau. Daria se désolait de leur peu d'intelligence. Il lui fallait les surveiller avec une grande attention, si elle voulait retrouver rapidement ses deux fauteuils tournants et ses peignes en écaille. Surveiller surtout, oui surtout, la petite fille aux tresses. Celle qui furetait partout. Elle rêvait sans doute de s'enfuir, pensait la gardienne en l'observant. Comme les stupides animaux du zoo de Cracovie. Daria n'était jamais allée au zoo, ni à Cracovie, mais elle avait vu la photo d'un tigre stupide qui s'était empalé jusqu'au cœur sur la grille de son enclos. C'est pourquoi la gardienne vérifiait tous les soirs, avant d'aller se coucher, les fenêtres grilla-gées. Elle avait même posé un cadenas à l'armoire aux couvertures, dans le couloir du labo. Elle avait vu la fouineuse y poser les yeux chaque fois qu'elle l'amenait pour ses injections. Les lèvres de la fillette se mettaient alors à bouger. Elle répète sans cesse les mêmes mots, avait remarqué Daria. Ce qui avait confirmé pour elle la «dangerosité» du matricule 142018, selon le terme du Professeur Koch.

Le jour, la gardienne contrôlait assez facilement ce qu'elle appelait ses sensibles émotions. Mais la nuit, impossible! Daria Jablonowski s'était mise rapidement à rêver aux femmes du Camp. En com-pagnie de Tova, dont les cheveux repoussaient, ou de la blonde Judith, ou encore de Hannah et de sa cadette Sarah, qui avait dû être très jolie, la coiffeuse partait se promener dans les bois qui ceinturaient la petite ville de sa naissance. Elles apportaient un panier plein d'incroyables nourritures : des concom-bres confits au sel, du beurre frais de Jan, du pain aux oignons, des galettes de pommes de terre de l'oncle Pankracy et un gros gâteau au fromage blanc. En mangeant dans l'herbe, les amies de la nuit se racontaient des choses intimes. Parlaient de menstruations difficiles, du désir des hommes, des enfants à venir... C'était un assemblage de paroles, de chansons, de rires... Comme ça! Pour le plaisir de dire. Ou de pleurer. Pleurer pour un amour perdu, quel délicieux moment... Jan courtisait Daria, mais Daria, comme ses copines juives, Tova, Judith, et Hannah, ne voulaient pas épouser un paysan. Vivre à la campagne, très peu pour elles! Au début, ses rêves lui parurent un peu hasardeux. Se faire prendre à chanter et à rire aux éclats au beau milieu de la nuit, dans ce Camp de merde, la rendrait plus visible, plus intéressante aux yeux globuleux de ce gros Koch et de ses assistants, dont ce Wolff si ricaneur. Mais constatant que ses voisines de lit n'avaient jamais entendu le plus petit rire, elle s'était abandonnée à ses rêves. Cela l'aiderait à attendre...

Moi, Daria Jablonowski, je suis un cœur de pierre le jour, par protection contre cette folie qui ne me regarde pas, et une rêveuse la nuit, par besoin de survie. Quand tout sera fini, je redeviendrai patronne coiffeuse, n'est-ce pas Vierge Marie? Et chaque dimanche, j'irai prier sur leurs cendres. Daria n'était en aucun cas dupe de ce que ses yeux balayaient. Elle savait bien qu'une colonne de fumée la séparait des autres. Malgré ses jolies nuits dans les bois.

Lilian Maisel s'était couchée, ce premier jour de studio, sans réciter ses fables, trop absorbée par une importante modification : l'intégration, peut-être, oh ! peut-être, de Claire Gerson à son plan de quand-même-vie. Elle devait aussi réfléchir à ce que cela pourrait signifier... Le temps pressait. La petite sentait bien que l'Obersturmführer, une fois qu'il aurait obtenu d'eux ce qu'il désirait pour les descendants de sa postérité à venir, les ferait disparaître. Elle savait comment... mais n'avait pas le temps de penser à ça. Elle devait plutôt se méfier des faux jetons comme Gustloff. Quand Marie-Marie lui avait conseillé de se méfier du faux jeton qu'était Madame Lepsâtre, elle lui avait expliqué le sens du mot. *Depuis l'après*, Lili l'avait compris davantage. Elle en avait beaucoup rencontré... Les voisins de leur petit appartement, les hommes en ciré noir, celui au brassard. Claire Gerson l'avait été aussi, faux jeton, par appétit de vivre à tout prix, ce qui n'était pas le cas de Gustloff et de son ami Koch qui étaient, eux, des faux jetons « champions toutes catégories » aurait dit Monsieur Berlo, le père de Marie-Marie. Il y avait aussi Daria, oui, mais Lilian Maisel n'était pas très certaine... Est-ce que Daria Jablonowski était une vraie faux jeton ?

Penser à Marie-Marie et à son papa ramena la fillette dans sa vie *d'avant*... Quand elle montait en courant la rue Boissonnière où, là-haut, l'attendait Marie-Marie et son sac de billes. Dans la cour de récréation, sa meilleure amie de cœur lui souriait encore. Petit fantôme d'un autre monde qui, parfois, revenait la visiter. Marie-Marie, morte de méningite malgré le voyage à Lourdes payé par le grand-père. Qu'aurait-elle dit de l'étoile épinglée? Et du numéro tatoué? Elle aurait voulu s'étoiler, se dit Lili, comme moi et les sept autres filles de la classe. Mais se faire numéroter... Non! Jamais! De toute façon, Marie-Marie n'aurait jamais cru cela possible!

La petite était petite, ce qui ne l'empêchait pas d'être lucide et de comprendre que les «intraveineuses de rien du tout» de Koch, et les prélèvements de sang l'avaient changée à jamais. Il vole mon sang et le transforme en eau, avait-elle dit à Rebekka, je vois au travers des tubes de verre qu'il aligne près de moi. Bekka, j'ai un peu peur de ne pas avoir assez de sang rouge pour *l'après*. Son amie de Camp l'avait prise dans ses bras et l'avait bercée un bon moment au son d'une chanson de France où il était question d'une alouette qui avait perdu le bec, le dos, les pattes et qui volait toujours. Oui, elle était autre. Et elle-même à la fois. Plus faible de corps, certes, Lilian Maisel savait cela, mais aussi forte du ciboulot que dans *l'avant*. Son grand-père Adel lui avait souvent parlé du ciboulot :

— Tu dois renforcer ton ciboulot Malili, c'est un bagage que personne ne pourra te voler.

Ainsi, depuis son arrivée au Bloc 10, Lilian travaillait fort du ciboulot en essayant d'améliorer son plan de quand-même-vie. Elle préparait mentalement son bagage, ayant peur quelquefois qu'il soit trop lourd pour elle, ce qui l'affolait et lui faisait commettre des erreurs.

— Tu regardes trop fixement ce que tu convoites, lui avait répondu son indéfectible confidente Rebekka, quand elle lui avait avoué ses difficultés.

Pour s'apaiser, Lili fermait les yeux et se choisissait une fable, évitant de toutes ses forces la fable qui parlait de la peste… La première qui lui revenait en mémoire. Elle avait dû la réciter, un jour *d'avant*, face à sa classe médusée. Elle non plus, comme ses jeunes compagnes, n'avait pas très bien compris pourquoi l'âne était le coupable. Madame Lepsâtre n'avait pas répondu à leurs questions ; elle leur avait seulement ordonné de l'apprendre par cœur, parce que c'était une fable é-di-fi-an-te. Maintenant, la petite avait peur de cette fable. Peur de comprendre. C'est pourquoi elle voulait l'effacer de sa mémoire, mais n'y parvenant pas, elle avait décidé de l'ignorer. Comme elle avait appris à ignorer les mains rouges de la gardienne Daria qui lui tordaient les poignets pour la traîner jusque chez le Professor Koch, où la petite fille se faisait un devoir de ne pas parler à ce gros-vampire-aux-dents-écartées, comme elle le surnommait. Au Bloc 10, son ciboulot l'aidait beaucoup. Les explorations médicales d'Hermann Koch l'affaiblissaient seulement du corps.

De toutes les fables, sa préférée des préférées était *La Colombe et la Fourmi*. Elle l'aimait beaucoup. La nuit, quand elle se réveillait à cause des larmes qui arrivaient comme ça, sans prévenir, elle se concentrait sur le mot à mot de sa fable et finissait ainsi par s'endormir : « Le long d'un clair ruisseau buvait une Colombe / quand sur l'eau se penchant une Fourmi y tombe… » La répétait, la répétait encore. À la onzième fois, elle devenait elle-même colombe ou fourmi, selon son choix. Oui, son choix. À elle ! La liberté est en toi, lui avait enseigné Rebekka, quand tu penses que tu n'en as plus du tout, dis-toi qu'il y a des parcelles de ta liberté qui sont bien à l'abri dans ton cœur.

— Tu choisis, toi Bekka, d'aller chez Koch ? avait répliqué Lilian, qui trouvait que son amie *d'après* exagérait.

— Non, bien sûr !

— Alors, les parcelles de liberté sont très très minuscules ?

— Oui… Mais elles existent, répondit Rebekka. Quand Koch ouvre sa porte et me désigne la table-des-enfers, je m'y rends en reculant tout en fixant ses gros yeux. Il ne les baisse pas, mais chaque fois, chaque fois Lili, il se détourne pour saisir une chose ou une autre… Il n'arrive pas à soutenir mon regard !

— Le regard de la naine-de-rien-du-tout, Bekka ?

— C'est ça Lili ! Lui, qui se voit géant, se détourne quand même de la naine-de-rien-du-tout pour échapper au malaise qu'il sent venir. Il peut supporter les cris et les lamentations, il ne les entend plus, mais il est incapable de regarder les yeux dans les yeux sa cruauté. Cela l'ébranle juste un court moment, Lilian, c'est vrai, mais ça me suffit. J'estime alors que j'exerce ma liberté. Comme la vraie personne que je suis.

— Rebekka ! Rebekka ! s'exclama la petite, je vois des petits bouts de liberté dans tes yeux !

— Lilian Maisel, souviens-toi toujours de ta liberté inaltérable.

— In-alté-rable?

— J'aime tant ce mot, inaltérable. Tant que tu vivras, ta liberté restera toujours en toi.

— Oh, je suis donc in-alté-rable!

Encore une fois, se dit la petite, même en allée pour toujours et à jamais, Rebekka entre dans ma tête et m'aide à être une personne. Je n'appartiens pas à Koch, ni à Gustloff… Quand je m'imagine colombe et que je m'envole par la fenêtre du couloir, malgré les barreaux cimentés, pour planer au-dessus des barbelés, des miradors et même des hautes cheminées qui soufflent nuit et jour d'effrayantes fumées, j'exerce ainsi des parcelles de ma liberté inaltérable. Je peux aussi choisir d'être une fourmi qui se faufile dans une fente des murs et, si j'évite les bottes ferrées et les pieds enveloppés de guenilles, je peux me rendre jusqu'aux barbelés, me glisser dessous, traverser les champs, arriver dans les bois et m'y cacher jusqu'à la *fin de l'après*. Bien sûr, je peux aussi partir sans attendre à la recherche de ma maman, en volant dans le ciel bleu qui mène partout parce qu'il est rond comme la terre, ou en courant sur mes six pattes, sans jamais m'arrêter.

Aux fables qui faisaient partie de son plan de quand-même-vie, Lilian avait ajouté toutes sortes d'objets très utiles : ses bonnes trouvailles ! Question survie, Lilian se disait souvent qu'elle avait du flair ou qu'elle apprenait rapidement. Par exemple, comme Bekka, elle avait pris l'habitude de ne jamais tourner le dos à Koch ou à ses assistants, et quand ses trouvailles se transformaient en pièges, eh bien, suivant les conseils de l'ancienne, mais toujours dans la tête, bibliothécaire, elle les remplaçait ! Ainsi, elle avait trouvé une autre porte qui s'ouvrait sur l'extérieur et qui, elle, ne grinçait pas, et substitué à l'armoire aux couvertures cadenassée, un placard qui contenait aussi beaucoup de merveilles : un manteau à brandebourgs presque de la bonne taille, trois chaussettes pas encore mitées, un chandail rouge avec des sapins verts dans le dos, et un seau percé, maison-ne-sait-jamais. Cependant, Lilian avait arrêté ses recherches dans le cagibi quand elle avait entendu des bruits étouffés venir de l'un des murs. Des gémissements semblables à des supplications, s'était-elle murmuré, se rappelant la mort de sa grand-maman. Depuis, la petite fille reconnaissait toujours, sous les gémissements, la musique lancinante de la soumission. Comme son grand-père mort au bas de l'escalier, Lilian Maisel détestait la soumission. Elle ne retournerait pas dans ce placard de toute sa vie de Camp, se jurait-elle à haute voix, sauf le jour où elle partirait pour les bois. Elle irait alors y dérober le manteau à brandebourgs bien chaud et le chandail, si joli.

Des bois, Lili ne connaissait presque rien. Il y avait bien eu les bois et les forêts des contes de son enfance *d'avant*, et leurs merveilleuses illustrations. Sauf que, quelquefois, ces contes l'inquiétaient... Tant de petites filles et de petits garçons perdus dans les sous-bois, affolés par les bêtes, blessés par les braconniers en maraude. Se rappelant ces histoires, elle avait rassemblé et caché dans un tuyau, récupéré près des barbelés, quelques trouvailles : une dizaine de cailloux blancs, un bâton pas très gros, mais solide, deux pansements dans leur enveloppe de papier, un mouchoir un peu propre et cinq capsules d'huile de foie de morue pour la force et non le goût. Voilà ! J'ai ma trousse de secours, se dit-elle un soir, en dissimulant le tuyau derrière un gros cylindre de métal plus haut qu'elle. Ce qui n'empêcha pas Daria de trouver le tuyau et de déverser tout ce qu'il contenait dans l'un des trous des latrines, devant Lili qui murmurait des Oh Daria ! Oh Daria ! avant de se réfugier dans les onze fois de «Il m'a dit qu'il ne faut jamais / Vendre la peau de l'ours qu'on ne l'ait mis en terre. »

Depuis, Lilian Maisel mémorisait les trouvailles de son plan de quand-même-vie, tout en les laissant sur place. Elle les accumulait dans sa tête, à l'abri de l'œil furtif des faux jetons : Je les cache en moi, tout à côté de ma liberté de penser. Quand arrivera *la fin de l'après,* je m'en servirai. Il en fut ainsi pour les trois serviettes oubliées sous des boîtes de seringues dans la pièce aux civières, des bottines de feutre et du foulard de coton dénichés sous le quatrième châlit de son baraquement, et surtout, oui surtout, raconta-t-elle à Rebekka, de la fenêtre au châssis facile à soulever ! Évidemment, ajouta-t-elle, n'étant pas vraiment ni une colombe, ni une fourmi, je dois penser à un machin-truc pour passer entre les barreaux. Sa chère amie lui fit remarquer que ceux de la double fenêtre du labo étaient plus espacés et qu'en s'enduisant de gelée de pétrole, facile à trouver dans les tiroirs du vampire-aux-dents-écartées, elle réussirait peut-être…

La petite jugea que c'était une bonne idée, car elle ne pouvait maigrir davantage, se disait-elle, en se touchant les hanches. Mais c'est quand même un gros problème les barreaux… Et aussi les chiens aux oreilles coupées, les barbelés pleins d'électricité, les miradors avec les fusils qui dépassent, les marais… Et puis, il y a les gens, les méchants chasseurs d'étoiles, avait dit sa mère, ceux qui sont amis amis avec les Nazis, ils sont très dangereux Malili.

Ce qui n'empêchait pas la petite fille de croire à son plan de quand-même-vie. Un jour arriverait où elle, Lilian Maisel, écolière de son état, se mettrait à marcher vers sa vie *d'avant*. Sans s'arrêter. En compagnie de ses amis de Camp : Claire Gerson, les jumeaux Rosenberg, Salomon Goldmann, Georg, sans nom de famille, pour cause d'oubli total, les enlacés Vely et Dreyfus, sans prénoms, car trop difficiles à prononcer et Séné Cioban qui entraînerait tous les autres. Oui, ils feraient ça. Eux ! Oui ! Ils iraient dans les bois et s'y cacheraient. Ils seraient très patients. Et très discrets pour ne pas effaroucher les oiseaux, les petites bêtes… Et les chasseurs ! Lili savait qu'il y avait des oiseaux, elle avait entendu au loin leurs chants effleurer le silence du Camp. Ce silence qui suivait toujours, avait-elle remarqué, les hurlements provenant de la rampe qui partait des wagons pour descendre vers le Camp et ses affreux triages. Les oiseaux des bois… C'étaient des oiseaux libres! Quand ils avaient fini de voler, ils se posaient sur de vraies branches. Pas comme ces martinets toujours à la recherche de cheminées, où ces hirondelles qui avaient perdu leur mémoire des arbres, s'était-elle dit, la première fois qu'elle en avait vu une s'agripper aux barbelés. Il y avait eu des piaillements aigus puis… plus rien du tout. Mais, elle ne voulait pas penser à ces choses : je suis trop jeune pour réfléchir à ce que je comprends, bien trop jeune !

Si Lilian imaginait les oiseaux sur les branches et les petites bêtes dans les fourrés, sachant bien sûr qu'elles n'étaient pas aussi raisonneuses que celles des fables, elle ne savait pas trop quoi penser des chasseurs. Étaient-ils de ces braconniers sans ciboulot qui tirent sur la moindre petite bête, ou de ces faux jetons de Nazis déguisés en chasseurs de Juifs ? Suivant son habitude de survie, la petite avait vite effacé ces questions sans réponses, pour les remplacer par les injonctions d'une voix aimée qui lui avait déjà chuchoté :

— Malili, Malili, va, va… On se reverra bientôt, je te le promets, je te le promets, je te le promets…

Lili essayait de croire dur comme fer, si je mens je vais en enfer, aux paroles de sa maman, malgré le doute… Je te le promets, lui avait répété sa mère, courant près du camion qui l'avait amenée loin, si loin de sa vie *d'avant*. Lili n'avait pas revu sa mère. Ni à l'arrivée du camion, ni au départ du train, ni à l'arrivée du train. Au Bloc 10, jour après jour, la petite fille se mettait à l'épreuve : s'efforcer de croire à la promesse maternelle. Quand son corps se mettait à se défier de la voix aimée, le mal-de-la-peine-d'amour la rendait si triste que sa volonté d'aller malgré tout vers sa vie *d'avant* vacillait. Sortie des bois, qui l'attendrait ?

Toutefois, Lilian pouvait penser à son père sans crainte d'attraper le mal-de-la-peine-d'amour, car elle l'avait peu connu. Il y avait eu entre eux quelques années de tendre peau à peau, puis ce fut l'absence pour toujours et à jamais. Lili devait donc l'imaginer ! C'est ainsi qu'elle se le représentait avec des lunettes rouges, penché sur de minuscules roues dentelées, ou examinant de gros mécanismes qui s'imbriquaient les uns dans les autres. En réponse à ses questions d'orpheline, sa grand-mère Maisel lui avait raconté qu'un soir, son père n'était pas revenu de l'atelier où il réparait les montres et les horloges des gens du quartier. Elle avait chuchoté à sa petite-fille : Lilian, ton papa, ne savait rien du temps qui se préparait. C'est vrai qu'il était sans malice, et même… antimilitariste! Tu sais, ceux qui n'aiment pas les uniformes, les fusils, les bras levés… Ton papa, en fait, c'était un naïf, ma petite, un naïf.

Comme la disparition du naïf n'avait pas été élucidée, il n'y avait pas eu de corps à inhumer, ni de pleurs au cimetière. Est-ce pour cette raison que la mère de Lilian ne lui avait jamais parlé de son père? Trop de peine retenue? Alors, la petite fille l'avait rêvé. Souvent, elle se représentait son papa en âne. Dans les fables, ce sont les hommes qui portent des fusils sur les épaules, pas les animaux, s'était-elle dit, ainsi l'âne de la fable de la peste était donc antimilitariste et… naïf. Il n'était pas revenu vivant du conseil du roi Lion, se rappelait-elle, en se redisant une seule fois, afin de l'oublier pour toujours: «Sa peccadille fut jugée un cas pendable. / Manger l'herbe d'autrui! quel crime abominable! / Rien que la mort n'était capable / D'expier son forfait: on le lui fit bien voir. » Oui, son père qui n'aimait pas les fusils était bien un âne.

Était-ce dû à ce flottement de l'horaire, ou au premier repas de cochon jusqu'à plus faim, mais un souvenir de sa maman, non douloureux cette fois, remonta en Lilian: un jour de semaine, un jour ordinaire de semaine, sa mère l'avait laissée dormir jusqu'au bout de son sommeil et, au lieu de l'entraîner en courant vers l'école, l'avait amenée se promener sur les Grands Boulevards. Oui, sur les Grands Boulevards! De plus, oui, de plus, sa mère avait dit, en l'aidant à s'habiller de sa plus jolie robe:

— Aujourd'hui, Malili, sans marquage. Sans aucun marquage.

— Oh, maman, sans étoile?

— Oui.

— J'ai un peu peur.

— Aujourd'hui ma fille, c'est nous, les étoiles! Viens vite.

Elles étaient rentrées très tard, haletantes et heureuses. Pendant des heures, elles avaient marché main dans la main, comme une mère et sa fille, anonymes, parmi la foule anonyme. Personne ne les avait regardées de travers ou n'avait baissé les yeux à leur approche. Personne. À une terrasse, à la vue de tous, elles avaient mangé des crêpes salées et bu du lait chaud et mousseux, sans recevoir le plus petit coup d'œil désapprobateur. Plus tard, la mère avait acheté un baba au rhum à une pâtisserie très célèbre, avait-elle murmuré à l'oreille de sa fille, en lui tendant le sachet de papier fin imprimé de lettres d'or.

Ce sachet, encore parfumé par la liqueur des Îles, avait été plié avec soin le soir même par la fillette et déposé, avec ses autres trésors, dans la boîte en coquillages que lui avait donnée sa grand-mère Adel. La mémoire de la petite lui faisait revivre les moindres gestes de ce jour où elle et sa maman n'avaient formé qu'un seul corps comme *avant l'avant*, lorsqu'elle dansait dans un ventre chaud et humide.

Après le partage du baba, elles étaient entrées dans une chapellerie, réjouies par tous ces bibis qui leur allaient si bien et qui mettaient « tellement, mais tellement en valeur leurs cheveux roux, leur avait dit une dame aux ongles laqués. Tout est si adorable sur vous ! » La mère avait répondu qu'elles hésitaient, que celui-là, oui, vraiment sublime, mais que celui-ci... encore plus. Je ne sais pas... il est merveilleux quoi ! Nous allons-y penser très chère, n'est-ce pas Lilian, et nous reviendrons. Dehors, elles avaient pouffé de rire, tous ces adjectifs extravagants, avait hoqueté la mère. Soudain, elle avait cessé de rire :

— Écoute Lili, fais attention à l'emploi des mots. N'oublie pas, il n'y a pas beaucoup de choses sublimes ou merveilleuses de nos jours...

—Mais nous promener ensemble sur les Grands Boulevards, avait répondu la petite fille, ça c'est merveilleux, Maman !

Oui, il y avait un peu de cette folle promenade dans le léger dérèglement de l'horaire du Bloc 10, habituellement imposé aux sujets expérimentaux (comme les appelait Hermann Koch, qui ne s'habituait pas à les appeler par leur numéro matricule, avait-il confié à la délicate Paulina von Thaden, parce qu'il trouvait cela déshumanisant). Lilian se demandait si c'était une bonne chose, ce flottement. Le souvenir des Grands Boulevards l'avait convaincue que, bon, c'était comme dormir plus longtemps, sans se promener la main dans la main avec son amour de maman. Il ne fallait tout de même pas exagérer les bienfaits de ce dérèglement.

Presque assoupie, comme tous les autres de la masse grise, par ce premier cochon qui se digérait à grands bruits de ventres et de soupirs, Lili souriait, tout en écoutant cette petite musique pas trop polie. Par ailleurs, se disait-elle (reprenant l'une des expressions favorites de Rebekka qui aimait creuser le cours des choses, autant que les mots), ce flottement… C'était peut-être le début d'un grand changement. N'avait-elle pas entendu des moteurs d'avion et remarqué des têtes levées vers le ciel? Avions qui n'avaient pas eu l'air d'apercevoir les colonnes de fumée soutenant le ciel au-dessus du Camp. Les ventres d'acier auraient dû s'ouvrir pour laisser tomber leurs bombes, pensa-t-elle. Ainsi plus de rampes, plus de SS, plus de chiens, plus de coups sur les jambes, plus de hurlements, plus de baraquements en briques rouges, plus de hautes cheminées, plus de Bloc 10 et de faux studio, plus de latrines aux trous sans fond, plus de numéros dans la chair de leur chair, plus de châlits pleins de choses grouillantes et même, oui, même... plus de prisonniers squelettiques presque sans vie, au dos courbé jusqu'à terre, ces musulmänner, comme on les nomme, qui font encore plus peur que la mort elle-même! Mais les avions n'avaient laissé au-dessus du Camp de merde que la trace blanche de leur passage.

Dès le lendemain de leur première ripaille, Claire Gerson remarqua le teint plus clair et le dos redressé de la plupart des prisonniers qu'elle devrait bientôt dessiner. Il est vrai, lui répondit Séné Cioban, à qui elle avait parlé de ce changement, que tous, sauf Salomon, Georg et moi, ont descendu la rampe depuis peu de temps. Ces jeunes vivent encore sur leur petite réserve. Baissant la voix, elle prit la main de Claire et la porta à ses yeux, et Gustloff, malgré sa cervelle de poulet, a pris bien soin de ne pas sélectionner de musulmans, continua-t-elle.

— Les musulmans ?

— Tu ne les as pas encore vus. Les musulmans… Mon vieux cœur s'emballe quand je pense à eux. Je ne peux pas te les décrire précisément, même

Salomon baisse les yeux quand il en croise un. Même lui! Tout le monde a peur d'eux. Oh! Claire, devenir comme eux… des êtres dépossédés de leur rage et de leur désir de durer, attirés comme des aimants par la terre où ils se traînent, puis se prosternent. Quand ils s'évanouissent pour toujours dans la boue du Camp, d'autres les remplacent… Claire, est-ce que notre tour viendra?

Lilian observait les deux femmes les yeux embués, isolées des autres par leurs murmures. Elle, le chien de poche de l'artiste, comme la surnommait maintenant Salomon, n'osa pas s'approcher de sa nouvelle amie de Camp pour l'interroger au sujet des avions. Elle se mit alors à marcher vers Salomon qui gesticulait dans son coin avec Georg, pensant que ce petit-vieux-qui-a-tout-connu-et-pire-encore, pourrait peut-être lui répondre.

— Tiens, dit le petit vieux en la voyant s'approcher, le chien de poche! Je parlais justement de l'artiste, hein Georg? Je me demandais… Qu'est-ce que tu veux?

— Salomon, pourquoi les avions…

— Quoi les avions… Je me demandais pourquoi elle, l'artiste, vivait encore? C'est pas croyable ça!

— Bien… Elle a mangé un chien, c'est vrai, mais…

— Une Juive tue… et vit encore ?

— Tu veux dire, pauvre chien, Salomon ?

— Non. Non. Elle aurait dû être pendue ou recevoir une balle dans la nuque ! Le rituel normal, quoi !

— C'est son statut d'artiste qui la protège, suggéra Séné, qui venait d'arriver près d'eux.

— Mais qui ici a un statut ? Pauvre vieille, depuis que Bella est morte, tu n'es plus la même. Tu… tu n'es plus qu'une courge des Carpates !

— Et toi, pauvre vieux, un singe de Varsovie !

— C'est ça… C'est ça… de Varsovie… Mais du ghetto, Séné, du ghetto…

— Oh ! Salomon, je connais tes souffrances. Mais laisse-la tranquille, la Gerson… et la petite aussi.

— Bon. Bon. Ta protégée n'a même pas ouvert ses boîtes de peinture, de crayons… Ça commence demain, la folie de Gustloff.

— Mais nous, nous les avons ouvertes, murmura Lili.

— Oui. Chien de poche, pour le papier. C'est précieux le papier. Mais on lui a laissé sa part et on a aussi respecté ses outils d'artiste. C'est encore plus précieux. Moi, mes outils…

— Tu vas peut-être les retrouver Salomon ! J'ai un plan de…

— Veux rien savoir de ça. Ton plan, c'est un rêve de plan. Tais-toi, chien de poche!

Lilian se tut, sans rancœur, bien sûr. Elle trouvait même l'expression «chien de poche» plutôt sympathique et puis Salomon... c'était Salomon! Ceux de la masse pardonnaient tout au vieux, car la perte de sa dignité, quand ses bras d'artisan étaient devenus des bras de charognard, lui avait fêlé le cerveau, racontait Séné. Il avait dû déterrer à main nue des milliers de cadavres, ensevelis tête-bêche et par couches superposées, les jeter au feu, puis il avait dû encore en retirer les cendres brûlantes et les épandre sur la terre et le petit lac du Camp. Qui ne serait pas devenu fou des bras et de la tête? avait conclu sa vieille amie.

Chantonnant quelque chose au sujet d'un petit chien bien au chaud dans sa poche, la petite prit les mains de Salomon dans les siennes. Il les lui retira brusquement. Ce caractère farouche du charpentier ne devait pas être étranger à sa survie.

— Hé! Ne me touche pas.

— Tu me fais penser à mon grand-père.

— Ah! bon... Et comment il était ce vieux Juif?

— Je ne veux pas parler de lui... Je veux juste y penser.

— Ça, chien de poche, je comprends ça. C'était quoi, ta question sur les avions…

— Rien… Rien… Ils étaient trop pressés, c'est tout. Salomon, j'ai un très bon plan et Claire va nous aider à…

— Pauvre innocente!

— Qu'est-ce que tu veux dire Salomon?

— Bah!

— Claire, elle, me répond toujours.

— Pour te faire parler, chien de poche. Ta Claire, c'est peut-être une espionne?

À ces mots, ceux de la masse qui s'étaient rapprochés éclatèrent de rire.

— Salomon, Salomon, espionner qui? Nous? Des moins que rien! Des rats de laboratoire sans passé, sans présent, sans avenir… Sans mémoire! Espionner quoi… Les cendres sous nos guenilles? Tu nous emmerdes avec ton espionnage.

Lilian, surprise par tant de douleurs, les vit peu à peu se calmer. Georg vint chuchoter à l'oreille de Lili: Salomon, est intouchable. Il a si honte de ce qu'il est devenu… Comme nous tous, c'est vrai. Mais chez lui, c'est pire. Je ne sais pas pourquoi… Peut-être qu'à Varsovie, il était le meilleur charpentier d'entre les meilleurs, comme on dit. Il faut lui pardonner.

Nous pardonner. Devant toi et les jumeaux, nous les vieux, eh bien, on a encore plus honte.

— Des fois, j'ai honte aussi, Georg... de ne plus avoir de corps à moi. Et les jumeaux, eux... ils ne regardent jamais leurs jambes. Tu l'aimes toi, Salomon ?

— Je suis son chien de poche préféré petite Lili ! Ça j'aime ça ! Toi, tu l'aimes, Claire ?

— Oh, oui... Maintenant, oui !

Il est vrai que seule Lilian Maisel était parvenue, en très peu de temps, à faire parler Claire Gerson, dont les joues se coloraient quand la petite venait près d'elle comptant sur ses doigts le nombre de ses dernières trouvailles ou répétant ses fables, les yeux au plafond pour mieux se concentrer. Elle semblait, à ce moment-là, traverser le toit de la baraque pour atteindre autre chose, l'azur, sans doute, s'était dit Claire, en l'observant tourner autour d'elle... L'artiste se demandait comment elle allait, le lendemain, dessiner ce feu follet incandescent.

— Claire, est-ce que c'est vraiment une trouvaille, neuf minutes de trop ?

— Toutes les perturbations sont bonnes, Lilian, toutes, répondit-elle vivement, ayant, elle aussi, remarqué ce décalage.

[84]

— Oh!... Perturbations, c'est un autre mot pour désigner les minutes de trop?

— On peut dire ça. Elles sont semblables à de petits cailloux qui se seraient glissés dans l'engrenage d'une roue...

— Et les minutes de trop dérèglent le mécanisme de l'heure établie. Hum... Je comprends. Toute la journée, mon père réparait les petites roues des montres, mais un soir, il n'est pas revenu. Il y avait peut-être eu des cailloux dans ses engrenages.

— Ton papa?

— Oui... Il a disparu de sa vie. De celle de ma mère et de ma vie à moi. Comme ça. C'était un antimilitariste pacifique... c'était aussi un naïf sans malice.

— Tu te souviens de lui, Lilian?

— Je ne veux pas trop parler de lui. Mais réponds-moi, Claire, c'est une trouvaille les cailloux dans l'engrenage?

— Une trouvaille bien importante. La roue, c'est le mécanisme de l'Organisation...

— Ah oui, je connais l'Organisation! Rebekka m'a tout expliqué... Elle avait un grand grand cerveau Bekka. Elle était naine seulement de corps. Et puis Juive... Alors là, Claire, c'était trop pour eux!

— Elle était un gros caillou dans leur engrenage, Rebekka.

— Oui… C'est drôle, mais quand elle m'a expliqué l'Organisation, elle a dessiné une pyramide à l'envers… Pas une roue avec des cailloux !

— Peut-être que la roue était à l'intérieur de la pyramide, Lili, comme un immense entonnoir plein de mécanismes qui expulsent les cailloux.

— C'est vrai. Nous étions beaucoup de cailloux de Juifs avant la roue, mais à force de tourner dans la pyramide à l'envers, bientôt, on ne sera presque plus. Alors si les cailloux arrêtent la roue, les neuf minutes de trop, mais c'est ma trouvaille la plus importante !

— De ton plan de quand-même-vie ? Ça, c'est certain Lili !

— Mon plan… Salomon dit que c'est un rêve de plan. Je connais ce que c'est un rêve, par exemple, quand je joue aux billes avec Marie-Marie, ça, c'est un vrai rêve. Un rêve de nuit. Mon plan c'est peut-être un rêve, mais un rêve de jour ! Avec plein de choses que je peux toucher… ou ressentir. Le dérèglement, Claire, ce n'est pas un rêve ?

— Non, bien sûr que non.

Claire Gerson n'était pas pour Lilian Maisel, une amie de cœur comme Marie-Marie, car elles venaient de commencer à «s'aimer de l'intérieur du corps», selon l'expression de Marie-Marie, reprise par Lili, quand les deux écolières avaient décidé de devenir des amies-pour-toute-la-vie-et-plus-encore. L'artiste l'écoutait et lui répondait avec tant d'attention que Lili se sentait réconfortée par sa présence et par sa beauté encore flamboyante. La petite fille ne voyait plus autour d'elle que des êtres en grande perte de ce qu'ils avaient déjà été. De plus, Claire Gerson ne collaborait pas avec Gustloff, ce qui était très bien, vu sa peur du mot «collaborer». En fait, ce mot la terrorisait. Tout avait commencé avec ce gros lard de Koch qui, presque chaque matin, lui demandait de collaborer, pendant qu'il lui injectait des liquides de toutes les couleurs dans les veines. À force d'entendre cet ordre, Lili, mettant de côté pour un moment sa promesse de ne jamais parler au vampire-aux-dents-écartées, lui avait demandé ce que «collaborer» signifiait. Le médecin-chef, qui s'estimait aussi pédagogue-en-titre, avait pris de son «précieux temps», selon ses propres termes, pour répondre à son sujet expérimental:

— C'est participer ensemble à une recherche importante concernant une grave maladie qui supprime peu à peu l'énergie, ce qui sera profitable à l'humanité tout entière ainsi qu'à moi-même, avait-il répondu. Quand elle avait entendu le mot «ensemble» (qu'elle comprenait très bien, grâce à l'ensemble avec sa maman ou avec sa Marie-Marie), son ventre s'était vidé; elle avait fait longuement pipi sur la table d'examen. Ce dégât, qui avait arrêté momentanément le protocole en cours, avait exaspéré Koch, mais l'avait ravi en même temps. Se tournant vers Wolff, il lui avait expliqué que cette faiblesse immédiate des muscles de la vessie provoquée uniquement par l'impact de la parole était pour lui une nouvelle donnée fort intéressante à analyser.

Peu de temps après, la requête de «collaborer» était devenue inutile. Ne supportant plus ni la grosse seringue qui lui farfouillait les veines ni l'humanité qui en profiterait, Lilian s'était déchiré la chair du bras droit en l'arrachant de l'emprise de Daria qui, pour contrer toute pitié naissante, regardait ailleurs, pendant que Koch sévissait. Sans se presser, le médecin-chef avait recousu le bras de haut en bas, à froid, bien entendu. Il avait ensuite ordonné à Daria d'aller aux cuisines annuler pour un mois la soupe du soir de son sujet expérimental, celle, avait-il précisé, où surnageait une retaille de viande. Lili avait tout répété à Rebekka qui lui avait dit que dorénavant, elle lui donnerait la sienne, un jour sur deux :

— C'est simplement de l'amitié et de la mathématique, Lili.

Trois semaines plus tard, malgré l'amicale mathématique, la graisse, qui s'agrippait encore sur les os de la fillette, avait fondu.

— C'est comme si ton corps se brûlait de l'intérieur, avait observé Rebekka, il faut faire quelque chose, sans ça, Malili, tu vas perdre ton désir de survivre. Ne les laisse pas t'avoir !

C'est à partir de ce moment que la petite fille avait pensé au plan de quand-même-vie afin de courir loin, très loin du Camp de merde intégral et de plus en plus dégueulasse qui lui enlevait son désir de corps à vivre encore ! Rebekka avait approuvé l'idée avec son sérieux habituel.

Jusqu'à sa disparition quelques semaines plus tard entre les mains du médecin-chef, Rebekka Bertholdy, bibliothécaire, enfin… ancienne bibliothécaire d'un lycée roumain, avait continué de jouer, auprès de la petite orpheline, son rôle de savante-qui-en-a-dans-la-tête-rasée, comme la surnommait Lili en riant ou en pleurant. Rire ou pleurer Bekka, ça veut dire qu'on est encore de vraies personnes qui ne se laissent pas avoir par toute «cette chienlit», comme tu as déjà dit? La savante avait acquiescé en ajoutant une autre signification au mot collaboration: c'est s'entendre tellement bien avec les SS que l'on devient pareils à eux, des Nazis. Et ça, Lilian Maisel, c'est encore plus terrible pour nous que la peste noire et ses bûchers! Quand cette voix s'était tue, Lili avait pensé à tout ce que la bibliothécaire avait représenté pour elle. Même dans *l'après*, s'était-elle dit, j'ai aimé d'amour une vraie personne.

Tard dans la nuit, la petite fille s'était presque assoupie, lorsque le mot «collaborer» avait surgi de nouveau dans son ciboulot: Claire a accepté de peindre pour la postérité de Gustloff, avait-elle pensé, elle collabore ainsi avec son ennemi numéro un, qui est pour moi, mon ennemi numéro deux, le gros lard de Koch étant le premier. Bon, oui… Mais collaborer, est-ce que c'est ce qu'elle fait vraiment? Grand-père Adel, lui, en se jetant dans l'escalier, n'a pas collaboré. Mais peut-être qu'il aurait dû faire semblant, prendre des forces et construire un plan dans sa tête pour s'enfuir très loin avec ses filles et sa petite. Et grand-mère? en se retournant pour aller chercher son châle rouge sang-de-bœuf, elle a aidé dans son travail l'homme en ciré. Tirer dans le dos, c'était plus facile pour lui que tuer les yeux dans les yeux. Mais grand-mère ne savait rien de la commodité du dos. Et Marie-Marie? Non, elle n'aurait pas collaboré, je crois même qu'elle aurait été comme grand-père... Une sauteuse d'escalier pour en finir avec l'humanité!

Lilian, à bout de questions et de réponses, avait fini par s'endormir tout à fait. Mince petite chose grise et rousse, prise entre deux corps aussi anguleux que le sien, allongés, les mains sur le cœur et la bouche grande ouverte, semblable à un trou noir encaissé entre les os du visage. Spectacle crève-cœur pour la fillette, lorsqu'elle s'était réveillée pour bouger légèrement les jambes: est-ce que je suis en train de devenir moi aussi un fantôme de fille? La méfiance envers sa capacité de traverser cet *après* s'était réinstallée. Ce qu'elle avait vécu était si éloigné de la civilisation, qu'elle s'était sentie perdue à jamais, comme elle aurait pu l'être au milieu d'une forêt noire et sauvage. Dans le creux de son bras tatoué qui lui servait d'oreiller, elle avait murmuré à Rebekka (demeurée sa confidente, malgré la mort à jamais):

—Je ne veux plus de cette méfiance. Survivre prend tout mon temps, Bekka. Tu avais raison, je dois quitter le Bloc 10 pour toujours, je n'ai plus de temps à perdre... Réfléchir quand on est sujet-expérimental, tu le sais, c'est très difficile, alors je dois garder tout mon réfléchir pour mon plan de quand-même-vie. Il faut que je collabore avec mon avenir qui peut-être m'attend, caché encore, mais présent et en devenir vers la personne que je deviendrai quand je serai une belle grande. Tu ris de ces phrases abracadabrantes? Bien, c'est comme ça que je me sens, tout à fait abracadabrante comme elles! Rebekka, je crois que c'est pour bientôt. Même aux latrines, tu te souviens des trous puants? Non, j'espère que non! Bien, même aux latrines, je réfléchis à mon plan.

Un jour, elle dit à Daria:

— Moi, je serai une survivante, car je suis une championne de boxe! Comme ça, bang, bang! Regarde, ici, c'est la tête de Koch, tu comprends ça, eh bien, bang sur Koch, Koch, Koch!

Évidemment, Daria ne bougeait pas, cette fois non par volonté de préservation, mais parce que le manège de la petite la rendait perplexe. D'ailleurs, une fois sur deux, elle ne comprenait pas cette foutue fillette qui vraiment, et tout de même, était de race inférieure. Ce que lui avait expliqué le médecin-chef,

après que ce dernier lui eut ordonné de prêter attention à la petite fille qui était un sujet très intéressant,
mais de nature particulière.

— Comme l'autre, la naine ? avait alors chuchoté
la gardienne.

Sans répondre, il lui avait désigné la porte. Portant
la main sur sa bouche, Daria avait obéi avec hâte
afin de ne pas crier ce qui lui remontait à la gorge :

— Je m'ennuie moi de cette race inférieure de
naine qui avait commencé à m'apprendre à lire !

Quand Lilian Maisel était arrivée au Camp, elle
avait descendu la rampe, suivant, comme elle le
pouvait, les adultes fatigués, puis tout à fait effrayés.
Rapidement, elle avait été prise d'un gros mal de
ventre, souillant sa culotte et ses chaussettes, ce
qui avait augmenté sa terreur. En bas, des hommes
en uniforme ou en pyjama rayé criaient des ordres
incompréhensibles. Cependant, leurs gestuelles, sous
l'éclairage des projecteurs, recourbés comme pour
saluer les arrivants, ne laissaient aucun doute : il
fallait courir pour se garder des coups de bâton et
des gueules ouvertes des chiens. Peut-être, parce
qu'elle était la plus petite (les bébés dans les bras de
leur mère ne devaient pas compter), un homme avec

un long manteau, les dents et les jambes écartées, l'avait désignée à un maigrelet en pyjama qui l'avait poussée à droite, de la façon dont on pousse un âne qui ne veut plus avancer. Une autre petite fille, un peu plus grande, avait été projetée contre elle. Lilian était tombée. Quand elle s'était relevée, elle s'était mise à courir loin de la petite fille immobile, dont les cheveux s'étaient étalés en étoile sur la terre noire. La course de Lilian Maisel s'était arrêtée lorsqu'un autre homme l'avait attrapée par le cou. Il l'avait conduite vers la porte d'un petit bâtiment et l'avait fait entrer :

— Tu es arrivée, lui dit-il, en la regardant dans les yeux. Dorénavant, retiens-toi. Tu ne dois plus salir ta culotte, tu entends ? C'est mieux pour toi, fillette.

— Va la laver, et à l'eau chaude, puis donne-lui de la soupe, avait-il crié à la forme blanche qui venait de prendre le bras de la fillette.

La petite n'avait jamais revu celui qui l'avait regardée dans les yeux… et qui parlait sa langue. Qui était-il, cet homme sans uniforme qui avait obéi aux soldats, sans complètement leur obéir ? Était-ce parce qu'il l'avait appelée « fillette » qu'elle avait suivi son conseil ? Elle y pensait souvent quand, chaque matin, elle se lavait le mieux possible… Et gardait, tant qu'elle le pouvait, sa culotte propre.

— C'est aujourd'hui Robertmonami! Allez ouste au travail les Juifs pleins de cochon! Paulina riait avec nervosité devant Gustloff qui se mettait en grande tenue. Tu leur diras: «Assez de repos! Aujourd'hui, nous commençons les séances. Soyez fiers, vous allez poser pour la postérité… Vous, autour de moi, votre Maître! Et mettez un peu de bonté sur vos visages de Juifs…» Non, non, ne dis pas Juifs, c'est insultant. Tiens, tu devrais les surprendre afin de les mettre rapidement à ta main. Il n'y a pas de temps à perdre.

Écoutant son épouse, Gustloff pénétra dans le faux studio sur le bout des pieds, piètre pantomime d'un *pater familias* désirant surprendre ses enfants en train de se goinfrer.

— Je vais les admonester un peu, rien de bien méchant, murmura-t-il, reprenant la phrase de Paulina quand elle lui demandait de corriger les siens. À sa vue, Salomon, Séné, Georg, Lilian, les jumeaux Rosenberg et tous les autres, sauf Claire, s'arrêtèrent de manger, interrompant ainsi le cliquetis musical des cuillères raclant les gamelles. Toutefois, le léger tintement qui montait encore de la gamelle de l'artiste n'avait pas échappé à l'oreille de Lili. L'insolente musicienne fit aussitôt la joie de la petite et de la masse grise qui s'était recomposée à l'arrivée de l'Obersturmführer. Toutefois, cette homogénéité ne dura que quelques minutes. La masse se scinda rapidement en autant de personnes qui la constituaient... au rythme d'une petite musique de tôle!

Encore une fois, Gustloff se fourvoyait, songea Claire, le voyant sourire de plaisir en retrouvant la masse grise qu'il pensait toujours à sa botte... Bien qu'un peu moins compacte, devait-il au moins remarquer, sans trop chercher à comprendre cet acte d'insoumission en ce matin si attendu, si espéré. Pauvre petit bonhomme! se dit-elle en continuant à manger, il doit déjà se sentir rassuré et réconforté par les illusions de puissance et de justice naturelle que lui apportera sa mission. Quant à mon attitude, ses yeux me disent qu'elle lui donnera l'occasion un peu plus tard de m'abaisser, de me dompter. Tiens, son sourire disparaît…

L'Obersturmführer venait de remarquer quelque chose. Il ne savait pas trop quoi.

— Oh, voilà, marmonna-t-il, mes Juifs ont pris un peu de graisse et de couleur! C'est mauvais ça. Non. C'est bien. Mon témoignage, selon Paulina, serait encore plus probant si nous paraissons… enfin, si nous les traitons avec notre légendaire moralité, car ainsi… euh… et encore plus… Bon… Et Hermann qui s'est exclu lui-même de mon projet, pour cause d'inefficacité, il en deviendrait jaloux maintenant.

D'avance, Gustloff se sentait ravi.

— Tu n'es l'inférieur de ce rustre que par le grade, monami, lui répétait Paulina von Thaden. D'ailleurs, cet état de subalterne n'est qu'une question de temps. Poursuis ton zèle créateur, un jour, il nous sera reconnu.

Mais un soir de ciel plombé et de vents puants, elle lui avait quand même crié:

— Il faut partir vite, loin, très loin de ces marais, de cet air insalubre et surtout de cette fumée qui n'arrête pas d'obscurcir le ciel! On n'y voit même plus les étoiles. Ah, Weimar, Robertmonami, Weimar!

Claire Gerson l'avait bien compris : Gustloff n'avait pas su voir ce que la transformation de ses figurants, comme il les surnommait, signifiait vraiment. Ces derniers ne formaient plus une masse compacte, ils la représentaient, la jouaient, en épousaient la forme générale... sans y adhérer! Quoique fragile, cette nouvelle posture amorçait une prise de possession de leur individualité. Tous ressentaient cela. Ainsi, au lieu de former des rangs au cordeau et bien serrés, la masse s'était disloquée, devenant peu à peu poreuse. Des espaces entre eux apparaissaient ici et là sans aucune régularité. De plus, certaines jeunes personnes se balançaient de gauche à droite en se tenant par la main, d'autres, comme les enlacés, se tenaient par les épaules, sans compter Salomon, carrément de travers et Georg, le dos tourné et les mains dans les poches. Quant à Lilian, accroupie à l'avant, elle écrivait sur ses genoux en chantonnant. La masse grise était devenue un attroupement disparate, un groupe d'individus, non une masse homogène, bien lisse... Facile à asservir, avait pensé l'artiste, la première fois qu'elle avait vu le groupe de prisonniers amorphes et silencieux comme les pierres.

L'Obersturmführer avait attendu avec grande impatience ce premier jour de pose (après les deux jours de repos imposés par la Gerson). Résigné, le SS avait essayé d'oublier ce contretemps en pratiquant sa vitesse de réaction au cours de son jeu de légitime défense. D'ailleurs, des femmes de Corfou, qui venaient d'arriver après une longue traversée, s'étaient révélées très coopératives! Mais Paulina veillait à lui rappeler sa mission et le besoin de sa réussite :

— Ce grand et beau tableau peint pour la postérité, à la gloire de notre visionnaire en chef et de la tienne, bien sûr, de la tienne qui est aussi la nôtre, doit être une œuvre parfaite, monami, c'est si important pour nous. Et pour la postérité, oui, bien sûr, oui. Mais, je ne sais pas... Il me semble que nos victoires se font plus discrètes et plus espacées. Des bruits courent, ah! des rumeurs malfaisantes, sans doute. Je sais bien que cela ne peut être vrai. Cependant... Il paraît que les barbares de l'Est et de l'Ouest se rapprochent de nous. En étau! J'ai peur, très peur!

De tels propos fatiguaient Gustloff en même temps qu'ils exacerbaient ses désirs, avoua-t-il à Koch, au retour d'une visite chez les Ukrainiennes.

Pour sa part, Lilian Maisel s'était réveillée d'attaque ce jour-là. Elle avait rêvé à sa chère Marie-Marie :

les deux amies s'étaient «dilaté la rate» (reprenant le père de Marie-Marie, Monsieur Berlo, qui employait des expressions tordantes) en lisant toute la nuit *Les aventures de Quick et Flupke*. C'est dire dans quel état d'énergie se trouvait la petite. Toutefois, elle fut vite contrariée, non par le discours de bienvenue du faux jeton de Gustloff, mais par la promptitude de Claire à se mettre au travail. Elle se questionna sur cette précipitation : pourquoi ne prend-elle pas son temps ? Claire avait pourtant promis plusieurs jours de pose, ce qui donnait du temps pour manger beaucoup de cochon et pour se préparer… Pour s'évader, quoi ! La petite fille avait changé de vocabulaire, elle employait de plus en plus le verbe «s'évader» et non «partir». Lilian Maisel avait bien réfléchi à sa situation de prisonnière, et une prisonnière… ça s'évade ! Partir, s'était-elle dit, c'est ouvrir facilement une porte, sortir d'une vraie maison, marcher sur le trottoir pour aller à l'école, au parc, à la bibliothèque… Ou pour aller se promener sur les Grands Boulevards avec sa maman ! Tandis que s'évader, c'est se glisser entre les barreaux d'une fenêtre, se cacher des chiens et des hommes en uniforme, s'écorcher sous les barbelés, et courir courir courir courir…

Ce changement dans le vocabulaire de la fillette découlait de sa condition de prisonnière, comprise à coups de vilenies morales et de maltraitances physiques. Vois-tu, Lili, au Camp, tu n'es plus une petite fille, tu es une prisonnière, lui avait expliqué Rebekka.

— Mais je ne veux pas, Bekka !

— Je sais bien… Mais c'est là ta condition, Lilian Maisel. C'est pour retrouver ton âge de petite fille que tu dois t'évader.

D'une autre façon, Daria avait aussi aidé Lilian à comprendre sa condition, entre autres, en l'appelant, quand elle devait absolument le faire, seulement par le numéro inscrit dans sa chair, là où les taches de rousseur des Adel, héritage de sa maman, s'étaient métamorphosées en lunes presque noires. Une petite fille dont le bras porte un numéro indélébile ne peut pas partir, car elle est devenue une chose inférieure qui ne bouge pas d'elle-même. On la traîne, on la place ici et là, on ne lui parle pas et on ne la regarde que par hasard ou par nécessité absolue. Bien sûr, la chose qui n'est pas une chose peut réfléchir quand même, avait conclu la petite, en fixant ses lunes noires. Et s'évader.

Dans son plan de quand-même-vie, Lilian incluait maintenant la masse. Non la masse, le groupe. La petite fille, à l'encontre de l'Obersturmführer, avait su voir et comprendre le changement : les prisonniers redevenaient eux-mêmes. De l'intérieur, bien sûr, et par des petits bouts qui dépassaient, de l'extérieur également. C'est à partir de cette constatation, et de sa dernière trouvaille encore secrète, que Lilian avait intégré, dans l'évasion à venir, tous les prisonniers du faux studio. Sa trouvaille secrète, qui coiffait toutes les autres, s'était personnifiée dans le corps de plus en plus informe de la gardienne. Quand Daria Jablonowski était allée chercher le 142018, après le repas du premier soir, Lili avait observé la grande convoitise de celle-ci... Le regard de Daria était devenu aussi tranchant que des couteaux de cuisine en voyant la viande rose déborder des gamelles. Le cochon devait lui rappeler ses ripailles *d'avant*, s'était dit Lilian Maisel, un peu perplexe. Mais après avoir bien réfléchi, la petite avait trouvé : Daria Jablonowski pourrait, si nécessaire...

C'est pourquoi, en ce premier jour de pose, Lilian s'apprêtait à donner de nouveau le contenu de sa gamelle à la gardienne. Salomon l'arrêta d'un geste de la main. Daria, qui s'était approchée sur le bout des pieds des prisonniers mangeant du cochon dès le matin, comme à la ferme de l'oncle Pankracy, se murmura-t-elle, fut ainsi vite ramenée dans *l'après*. Elle reprit son rôle et recula près de l'Obersturmführer qui ne leva pas les yeux sur cette inexistante créature, inculte et presque chauve, avait-il remarqué un soir, en baissant son regard vers elle. Lilian maudit intérieurement Salomon qui avait fait échouer une partie de son plan. Elle se mit à répéter «Et pour montrer sa belle voix, / Il ouvre un large bec, laisse tomber sa proie», ce qui la calma.

Sous les ordres flous de Gustloff, la mise en place des prisonniers, ou plutôt des personnages du tableau, n'arrivait pas à se fixer. Le faux metteur en scène tergiversait, tournait sur lui-même, s'arrêtait, repartait à nouveau… Bref, il les désirait à genoux, assis, debout, en rang, en diagonale, en couronne, derrière, de côté, près de lui, loin derrière… Seule Claire s'impatientait, assise sur le bout de son banc, devant une table pleine de beaux papiers à esquisses. Quant au groupe, il obtempérait mollement en suivant le vol erratique de la main à la chevalière. La vieille Séné se déplaçait si lentement que Salomon n'avait pu s'empêcher de rire et de faire comme elle, suivi par les autres. Seule Lili, complètement prise par ses pensées, se conformait aux directives du Nazi. Les yeux au plafond et la bouche ouverte, elle se plaçait rapidement là et là… Sans émettre aucun son. Pour qui savait voir et entendre, son corps trop silencieux déniait l'obéissance servile qu'elle démontrait.

C'est pourquoi Claire essayait d'attraper son regard, tandis que les autres, habitués aux bizarreries de la petite, n'y prêtaient guère attention. Quant à Gustloff, il paraissait ravi de l'attitude de la fillette, pour une fois docile. Son regard changea et s'arrêta un peu plus sur la petite… Elle lui rappelait, en plus jeune, certaines de ses étudiantes qui avaient reconnu en lui, sans qu'elles le sachent vraiment, le mentor espéré. En ce moment, ce bout de Juive lui plaisait. Cependant, ce penchant fort passager n'annulait pas, pour elle, comme pour tous les autres, le processus d'effacement total. Bien sûr, une fois le travail terminé, signé, situé et daté. Ce tableau… Une œuvre parfaite, lui avait répété Paulina. Elle l'aura, son précieux tableau de famille. Que craint-elle de ces iconoclastes, de ces sauvages, de ces barbares? Ils avancent en étau, avait-elle dit…

— Oui, et alors? Que peuvent-ils contre la grandeur de notre armée? Contre nos foudres de guerre?

Se replier pour mieux bondir ne veut donc rien dire pour elle?

— Se replier, Gustloff…

— Tiens, l'artiste !

— … pour mieux

— Tais-toi ! Contente-toi d'être prête.

— … bondir ?

— Arrogante !

Me servir d'elle, se dit-il pour lui-même, mais ne pas m'intéresser à ce qu'elle dit… Bon, je les dispose… en couronne, oui ! Ma première idée. Autour de moi comme une grande famille unie, heureuse et hiérarchisée en même temps. Facile de faire voir le fossé entre ces pouilleux et moi. Enfin, il ne les faut pas trop pouilleux. Donc une grande… déférence, c'est ça, de leur part et moi, moi au milieu d'eux, généreux et tout puissant. Mais je ne dois pas sembler vouloir m'élever au-dessus de notre Grand Homme. Ah ! peut-être avec sa photographie entre mes mains. J'en ai des tas ! Je l'apporterai demain.

— J'ai trouvé ! cria-t-il à Claire qui observait la petite. Je suis prêt.

— Enfin prêt ! ajouta Claire en se tournant vers lui.

— Presque, presque. Tu pourras commencer bientôt. Ah! Moi... et Lui dans mes bras, tu comprendras demain, le chien à mes pieds. Et eux, avec de la retenue dans leurs yeux. Non, pas de la retenue, de la vénération. Tu entends l'artiste, de la vé-né-ra-ti-on.

— De l'amour aussi, Gustloff?

— De l'amour?... Je ne sais pas. Oui, pourquoi pas! Mais asservi. C'est ça! Des yeux pleins d'amour asservi. Très bonne suggestion! Un verre de lait chaud Gerson?

— Oui, et pour tous! Et vite!... de l'amour asservi? Quelle clairvoyance, avait lancé Claire, pendant que le Nazi s'éloignait en dansotant.

Bras en l'air et souriant d'aise, l'Obersturmführer dessinait maintenant de larges cercles autour d'une causeuse de velours rouge sang-de-bœuf qui trônait au centre de la pièce. Salomon et Georg avaient été désignés pour transporter le meuble, provenant d'un SS à la croix de fer sous la glotte, avaient ironisé les deux vieux, mis en train par ce travail de déménageurs si facile : deux pour transporter ça! Ce qui leur avait rappelé les petits métiers de leur vie *d'avant*. Georg avait sifflé quelques notes, pendant que Salomon au cœur de zélote (surnommé ainsi par ses compagnons du ghetto) mettait la main sur un couteau à lame recourbée, trouvé par hasard dans le troisième tiroir du bureau du SS à la croix de fer, occupé à ouvrir une fenêtre. Sans doute pour assainir l'air.

Ayant enfin trouvé ses marques, Gustloff plaçait ses sujets-figurants. Il s'éloignait souvent, les doigts encadrant les yeux, pour mieux juger de l'effet. Ce qui prit du temps, car ne pouvant les toucher, et eux, ne pouvant le regarder dans les yeux, il y eut quelques méprises. Lilian, ayant reçu l'ordre de se croiser les doigts et de courber le dos, s'exécuta… à sa manière.

— Pas comme ça stupide! lui cria le Nazi, revenu de son affabilité devant l'exagération de sa posture: prosternée jusqu'à terre, Lili balayait le sol de ses tresses rousses.

Il y eut plusieurs sourires et même, quelques rires. Salomon en profita pour s'éloigner le plus possible du siège de velours, ce que ne vit pas le SS, trop occupé à donner ses ordres. Enfin, à la droite et à la gauche de la causeuse, il plaça les jumeaux Rosenberg malgré leurs dérangeantes jambes. L'artiste arrangera ça et surtout votre médecin, le professeur Koch, sera très satisfait de vous, et de moi, leur dit-il. Puis, s'adressant à tous, le metteur en scène de pacotille, murmurèrent les enlacés, leur ordonna de ne plus bouger, car il allait chercher le chien qui compléterait le tableau.

—Hum…

—Encore toi l'artiste!

—Le lait chaud d'abord… L'adorateur à quatre pattes, après.

—Arrogante, tu ne perds… Que personne ne bouge! C'est un ordre!

La sortie de Gustloff provoqua encore plus de fracas que d'habitude. Elle était aussi accompagnée, cette fois, de bêlements de mouton, très bien imités par les jumeaux Rosenberg. Cette indocilité fit redresser le dos aux figurants qui s'ébrouèrent en tous sens, brouillant ainsi la savante construction de Gustloff. Lili se releva d'un bond, alla s'asseoir dans la causeuse, n'y resta que quelques secondes, se jeta en bas, cria quelque chose au sujet du velours raide et piquant, et se mit à déclamer *Le mulet se vantant de sa généalogie* en tournant à pas de géant autour du trône du SS à la glotte. Pendant ce temps, Salomon, les bras en l'air, faisait mille signes à Georg qui arrêta de se masser les pieds pour rejoindre le vieux charpentier. Séné, quant à elle, exécutait, avec d'autres athlètes de son calibre, divers mouvements de gymnastique appris il y avait belle lurette. Les enlacés s'embrassaient et les jumeaux fignolaient une autre de leurs imitations, tout en riant de Séné s'essayant au grand écart. Bref, l'ordre de Gustloff...

Claire, étonnée, les regarda un moment, puis, sortant fusains et sanguines, se mit à les dessiner. La petite répétant toujours *Le mulet se vantant...* s'approcha d'elle.

— Une nouvelle fable, Lili ?

— Non... C'est Monsieur Berlo qui me l'a apprise.

— Berlo ?

— Le père de Marie-Marie, mon amie de cœur qui est morte pour toujours. Oh, c'est vrai ! Monsieur Berlo est mort, lui aussi... Il y a beaucoup beaucoup de morts dans ma vie. Je ne sais pas si j'ai assez de doigts pour les compter.

— Lili...

— Il y a mes grands-parents du côté de mon papa qui sont morts au bout du rouleau et mon père mort de disparition inexpliquée et ma mère morte ou pas morte de déportation solitaire et ma grand-mère maternelle morte de dos tourné...

— Arrête ça!

— … et mon grand-père mort de volonté d'en finir et la fille de la rampe morte de tête cognée et Bella morte de toujours debout sans fin et Rebekka morte de recherche terminée… Et tous les autres que je ne vois qu'une fois comme l'homme du bon conseil de se tenir propre et comme la stupide hirondelle…

— Viens ici Malili. Regarde.

Claire s'était levée pour l'entourer de ses bras. La blancheur de la peau de la petite s'était subitement voilée, on aurait dit que les cendres de ses morts remontaient en elle et l'envahissaient tout entière. Claire eut peur. Elle toucha la photo de son garçonnet bien au chaud dans sa manche, avant de soulever rapidement la fillette pour l'asseoir sur elle, face à la table où elle venait de dessiner. La tenant d'une main, elle lui montra, de l'autre, la grande feuille de papier vergé qui y était posée. Regarde Lilian. Nous sommes encore des vivants. Malgré eux!

Défilèrent alors devant les yeux de Lili des envolées de traits rouges et noirs. Elle y distingua: des bras levés, d'autres à l'horizontale, ou encore baissés vers le sol, des joues rouges, des bouches souriantes, des têtes penchées l'une vers l'autre, des mains dans les mains, des garçons debout sur une causeuse... Et bien sûr une petite fille marchant à grands pas, la bouche ouverte et le regard au plafond... Ainsi qu'une femme aux cheveux roux en train de dessiner.

— Nous sommes vivants Malili, chuchota Claire, en retirant de son enveloppe et du papier de soie qui la protégeait, la photo de son enfant, devant la petite qui venait de fermer les yeux, s'abandonnant sans doute à la douceur accueillante d'un corps de femme. Oui, nous sommes vivants... mais pas lui, continua Claire, pas mon petit garçon. Le chien n'a pas suffi. C'est alors que j'ai contracté la rage. Je suis devenue voleuse de tout ce qui pouvait se manger. Pour me garder vivante! Par désir de me venger de ceux qui me voulaient morte. J'ai même volé la nourriture des enfants, non seulement pour assouvir avec facilité ma faim, mais aussi par grande jalousie. Voir ces corps palpiter encore... Mais toi, ma dernière victime, je ne comptais pas te revoir. Ta totale solitude dans ce cloaque roulant... La boule de riz escamotée, j'avais vite détourné les yeux. C'est pour ça que je n'ai pas su voir en toi, sous tes pleurs, ton intense désir de survie! L'immonde Koch en bas de la rampe a pu identifier cette force. S'en surprendre. S'interroger. Il a dû alors chercher dans le troupeau apeuré s'avançant vers lui, une femme forte, audacieuse. Une pièce de choix! Ta mère. Il aurait alors eu sous la main deux cobayes: la génitrice et sa descendante. Mais il ne l'a pas trouvée. Il n'a eu que toi, pour comprendre. Au début, ton plan de quand-même-vie m'a seulement amusée. Cependant, à force de te l'entendre me l'expliquer et surtout de le sentir se développer en toi, je me suis mise à y croire... Oh, tu ouvres les yeux! Les plans eux ne meurent pas Lili, sauf si on les laisse se défaire en nous.

— Mais la faiseuse de plans, Claire...

— ... la faiseuse de plans?

— Elle peut mourir avec ses plans.

— C'est vrai. Ou bien, grâce au plan, ne pas mourir à leur heure à eux. Seulement à son heure à elle. Ce qu'ils veulent, tu sais, c'est que nous nous sentions morts dès notre arrivée dans cet enfer de merde. Ainsi, ils peuvent nous voler tout, même l'heure de notre mort.

— Notre mort *d'avant* notre heure, Claire? Beaucoup sont morts comme ça.

— Oui, Lili. Beaucoup. La mort des Juifs est pour eux un acte dérisoire. Sans état d'âme, ils font de la place, ils récurent, ils désinfectent, ils détruisent les parasites... Et malgré ce grand nettoyage, tu n'es pas morte, Lilian Maisel, ni moi, Claire Gerson, ni Salomon Goldmann, ni Séné Cioban, ni les jumeaux Rosenberg, ni les...

— À Rebekka, à Bella, à l'homme du bon conseil, à tous les autres, ils ont donc volé l'heure du bout de leur vie?

— Oui.

— Oh, peut-être que la mort en avance joue à colin-maillard et que chaque fois qu'elle identifie un pas comme les autres, elle lui prend la vie sans regarder l'heure.

— Peut-être...

— ... Claire, même penser à la mort qui arrive au bout de la vie, c'est difficile.

— C'est pourquoi il ne faut pas se penser déjà mort, Lili. Ton plan...

— C'est un rêve de plan.

— Non. Pas du tout.

— C'est vrai? Surtout qu'avec ma dernière trouvaille...

— Le dérèglement?

— Oui et non... Pas seulement...

— Même Salomon, Lili, croit au dérèglement. Tout à l'heure, il a sorti un couteau devant Georg.

— Un couteau! Ça, c'est une belle trouvaille!

L'aboiement d'un chien arrêta toute parole et tout mouvement. Après quelques secondes, chacun regagna la place désignée par Gustloff. Sa mise en scène se recomposa, enfin presque... Salomon modifia la position de ses bras, Séné défit la corde qui lui servait de ceinture, Georg mit sa casquette de travers, Lilian se prosterna en se décalant en oblique, Claire posa les mains sur le banc et les jumeaux Rosenberg changèrent de place (ce que tous remarquèrent, car l'un avait sur le crâne une cicatrice semblable à une bouche ouverte).

L'entrée du SS se fit dans l'entrechoquement coutumier. Trop souvent jouée, la cacophonie l'annonçant avait émoussé l'angoisse ressentie. Ne restait plus qu'un sentiment d'irritabilité devant cette puérile démonstration de force. Bien sûr, il y eut quelques glissements de regards vers la bête tenue en laisse qui s'avançait vers eux. La légère tension soulevée par la présence animale s'apaisa rapidement : le chien ne ressemblait en rien aux chiens de la rampe. Malgré le collier clouté et les gros maillons de la laisse, il paraissait lourdaud et un peu benêt. Il ressemble à son maître, chuchota Séné, en levant les yeux au plafond. Lorgnant les prisonniers, Gustloff les vit observer en souriant le chien qui lui résistait, la truffe tendue vers les restes odorants du cochon. Quand le rire de Lili retentit, suivi aussitôt par celui des jumeaux, l'Obersturmführer ordonna au chien de le suivre vers les gamelles sales.

Là où se tenait Salomon Goldmann.

Quand le bras du charpentier s'éleva, décrivant un large demi-cercle, on aurait dit qu'il rassemblait dans son sillage deux mille ans d'interdictions et de bannissements. Puissant et féroce, le bras au couteau descendait vers Gustloff, tel le bec d'un aigle sur sa proie, dispersant, par ses ailes éployées, les cendres grasses en suspension autour de lui. La Mort écarta, sans s'arrêter, la main au drapeau qui venait de s'élever. Pauvre défense qui s'avéra un pur réflexe, tant la stupéfaction du SS déniait toute intention de combat. La Mort avant le bout de la vie inversait les rôles : de chasseur-braconnier, le Nazi était devenu gibier. Bien sûr, nulle parade n'aurait pu arrêter la descente du couteau vers la poitrine à ouvrir. Souveraine, la lame recourbée pénétra dans l'épaisse viande de la race supérieure, trouva le cœur, et entama son antique danse macabre. Quand le flot rouge sang-de-bœuf jaillit en mille rigoles visqueuses… le chien s'approcha.

Pantin aux fils coupés, le Nazi se disloqua au pied du Juif.

À la vue de ce tableau de chasse, Salomon Goldmann n'éprouva aucune gloire, ni aucune peur. Ce fut plutôt le désespoir qui lui souleva le cœur. Quand il se tourna vers Séné Cioban, dont le souffle lui brûlait le cou, il cria :

— J'ai fait ce que je devais faire, vieille Juive ! Hélas…

— Salomon, Salomon, tu l'as fait ! s'exclama-t-elle, en essayant de dégager le couteau du poing violacé. Donne-moi le couteau… tu l'as eu ! Tu l'as…

— Laisse ma main ! Non, je ne l'ai pas eu. J'ai eu le corps… uniquement le corps. Regarde ses yeux étonnés. Seulement étonnés. Oh, Séné, Séné, Séné… Même à l'instant de mourir, il n'a vu en moi qu'un rat, non un être humain. Un rat des marais osait l'attaquer… Lui.

— La bête, c'était lui, Salomon !

— Mais c'est un homme que j'ai tué. Et cet homme n'a pas reconnu le bras de son pareil… un homme parmi les hommes. Je ne lui demandais qu'un sursaut de reconnaissance, qu'un éclair de vraie peur dans les yeux. Mais rien. Rien qu'un regard stupéfait face au rat. Toujours l'éternel désaveu…

— Salomon Goldmann, laisse le couteau.

— Non!

— Oh, Salomon, il ne faut pas…

— … J'ai quand même déprogrammé l'heure… L'heure de notre mort. C'est quand même ça, Séné Cioban?

— Oui. Et c'est beaucoup, Salomon Goldmann. L'heure au bout de notre vie, à nous, et non pas l'heure décrétée, par eux. Je sais Salomon, tu as choisi ton heure, la mienne, celle de Georg… Mais pour la petite? Pour les jumeaux? Pour les enlacés? Pour les plus jeunes d'entre nous… C'est bien? Dis-moi Salomon, c'est bien?

— Séné, Séné, la petite, l'entends-tu crier? On dirait qu'elle a une grenade dégoupillée au fond du ventre. Maisel est plus vieille que nous tous. Les années *depuis* n'ont rien à voir avec la vie. Dès la descente de la rampe, la gueuse de mort était accrochée à ses pas. Tu te souviens de notre déchargement? Pour eux, Séné Cioban, tu n'étais qu'une vache qui meuglait en yiddish prête pour l'abattoir. Mais Koch avait besoin d'une femme de ton âge… pour un temps.

—Arrête! Arrête! Je sais tout ça. Je te parle des enfants!

—Les enfants? Après les mains de Koch et de sa meute sur eux... Ce sont des restes d'enfants, ces petits.

—Mais tu as entendu les avions, Salomon? Peut-être que le dérèglement, comme dit Lili... Et puis elle a un plan!

—Les avions se moquent de nous, vieille innocente, et son plan, je le répète, c'est rien du tout! Un rêve...

—C'est toi le rêveur Salomon Goldmann! Tu t'agrippes à ton couteau pour te vider les veines à ton heure, je le sais, mais nous? Tuer un officier allemand! Nous! Pour Georg, pour moi, pour les autres vieux, le cœur ne tiendra pas, nous mourrons rapidement. Pas nos petits, Salomon. Les outrages qu'ils leur feront subir... Même le chien de Gustloff ne voudra pas de leurs restes. Oh, Salomon...

—Séné... Ma Séné...

Pendant tout ce huis clos au pied du mort, Lilian Maisel avait lancé d'énigmatiques cris, comme si sa gorge ne savait choisir entre deux souffles. Elle avait commencé à crier dès l'envol du bras, entraînant à sa suite les Rosenberg. Dans le faux studio d'un Camp de la Mort, trois enfants essayaient d'échapper par leur gorge hurlante à ce lieu où se passaient des événements inconcevables, compris seulement par leur corps tremblant.

S'étant retournée pour suivre l'avancée pas à pas forcée de l'Obersturmführer vers les gamelles, Claire Gerson avait entrevu l'éclair blanc-bleu de la lame descendre vers le cœur. C'est alors qu'elle s'était statufiée, telle la femme de Loth, devant l'inévitable expiation. Elle avait repris ses sens sous les poussées de Séné Cioban. Lentement le Kaddish des endeuillés, et les cris de Lili et des Rosenberg, lui parvinrent à la conscience. Elle finit aussi par entendre ce que lui répétait Séné :

— Claire, Claire, ils vont venir. Plus tard. Il... il avait interdit la porte pendant les séances de pose. On a encore un peu de temps. Dessine... Pas lui... Nous... Notre trace, Claire, notre trace !

— Séné, j'entends Lili, les jumeaux... Où sont-ils ? Et ce Kaddish...

— Les petits sont ensemble sous la causeuse. Je m'occuperai d'eux. Dépêche-toi, dessine ! Le Kaddish ? Qui d'autres pourraient le réciter pour nous. Qui ? Dépêche-toi !

Retrouvant toute sa force, Claire agrippa fusains et sanguines, pendant que Séné courait vers les enfants. Tout en récitant, les prisonniers avaient entouré Salomon, appuyé sur Georg. L'air s'emplissait de mots qui ondulaient au gré des mouvements à bras-le-corps d'un rassemblement d'êtres, déjà dans un monde qui n'était plus celui des vivants. Chacun voyait, dans le regard de l'autre, stupeur et fierté… Et bien sûr, la peur des heures à venir.

— L'atavique peur, murmura Claire Gerson, essayant de rendre tous ces sentiments dans les regards et les corps qu'elle dessinait sur l'envers de la feuille vergée où, sur son endroit, la Juive avait tracé, il y avait peu de temps, quelques moments de grâce.

Couchée par terre, Séné demandait aux petits effrayés de venir la rejoindre :

— Claire va nous dessiner. Viens Lilianotta… Viens… Ils vont te suivre… On doit… Je vous en prie… Ils… Venez…

— C'est *la fin de l'après* Maisel ! cria Salomon.

— … Salomon ?

— Oui Maisel.

— C'est *la vraie fin de…*

— … *la vraie,* chien de poche.

—Alors, c'est le temps. J'arrive. Sortez de là les jumeaux. Je suis prête. Presque prête… Salomon, tu me donnes le couteau?

—Qu'est-ce que tu dis? Non, bien sûr que… Pourquoi?

—Il est dans mon plan.

—Il n'y a pas de couteau dans ton plan Maisel. Des trouvailles, oui, seulement des trouvailles. Rappelle-toi comment tu m'énervais avec ça.

—Le couteau, je l'avais caché dans ma mémoire. Ce n'est pas une trouvaille ordinaire, c'est une grande… presque la meilleure!

—Bon, je… Je te le donnerai… Dans les bois, je…

—Salomon, j'ai besoin du couteau, maintenant. Comme toi, je n'ai plus peur. On est dans *la fin de l'après,* oui ou non? J'ai mon plan… Nous irons dans les bois. Mais avant, il faut seulement que je tue Koch!

Le fusain dans la main de Claire se cassa quand elle se leva pour courir vers la petite, faisant signe à Georg d'agripper la feuille aux croquis et d'en faire un rouleau bien serré. En passant près de la porte, elle entrevit Séné l'oreille sur le panneau.

— Malili Malili, tu n'as pas besoin du couteau de Salomon… Koch ne pourra plus jamais mettre la main sur ton corps, sur vos corps. Jamais. Ni la racaille à ses ordres. Nous allons aller loin, très loin d'eux…

— Il va s'arrêter pour toujours?

— Oui.

— Bon. C'est bien. Nous pouvons nous évader. Oh, je comprends pour le couteau, Salomon doit le garder pour les chasseurs de Juifs.

— Malili, écoute-moi bien. As-tu une cachette ici?

— … La racaille? Tu as dit « ni la racaille »…

— Lili, ce n'est pas le temps. Séné, tu entends quelque chose?

— Non. Aucun bruit. Tu as le rouleau?

— C'est Georg…

— Claire, si tu penses à Daria… Elle n'est plus une racaille, Rebekka lui a appris à lire!

— Laisse Daria, Lili! Il faut trouver une cachette pour les croquis… avant que… On ne peut pas apporter un rouleau de papier dans les bois, c'est trop fragile… encombrant… Ici, quelqu'un plus tard va le retrouver…

— … et il pourra alors nous les remettre. Daria va venir pour les gamelles… Elle est en retard.

— Lili, Lili, cesse de parler d'elle. On doit…
— Mais Claire, c'est Daria Jablonowski la cachette!

Quand elle entendit la clé glisser dans la serrure, Séné fut rassurée. Elle retourna sans se hâter près des siens. Elle avait reconnu le geste lent de la gardienne, ainsi que le roulement de la cuvette. Toutefois, par grande méfiance apprise au Camp, c'est la main gauche de Salomon qu'elle prit, laissant libre le poing droit, fermé sur le couteau. Quand la Jablonowski entra à sa manière, silencieuse, les yeux au sol, tirant sa cuvette de tôle montée sur roulettes, tous se détendirent, un peu. Ils comprirent que ses yeux venaient de buter sur le corps de Gustloff, lorsque les pas s'arrêtèrent. Oh, à peine. Le soupir que fit la gardienne ressemblait plus à un constat, qu'à une surprise. Une manière de dire enfin, bon débarras! pensa Claire qui, toujours près de Lilian, surveillait avec attention Daria qui ramassait les gamelles et les déposait dans la cuvette, avant de les rapporter hors du faux studio, pour les laver dans… Soudain, Claire tressaillit. Elle venait elle aussi de trouver la cachette.

Quand la gardienne eut presque terminé sa routine, Lilian saisit sur la table de Claire une feuille blanche et une sanguine et se dirigea vers Georg, suivie par les jumeaux. La petite lui demanda le rouleau de papier ; interloqué, Georg regarda Claire qui acquiesça. Toujours accompagnée par les Rosenberg, Lilian vint se placer en face de Daria et lui montra ce qu'elle tenait avant de le remettre aux Rosenberg. Puis, elle se mit à lui expliquer, dans une langue faite de signes et de mots griffonnés sur la feuille, son plan de quand-même-vie, qui incluait, depuis peu, une bonne cachette.

— Daria, tu as vu l'Obersturmführer... Ne le regarde pas... Bon... Nous... Ici, nous tous... On va s'évader. Nous irons dans les bois. Regarde, je te dessine un arbre, un autre arbre et un autre... Je me cacherai peut-être derrière celui-ci, comme ça. Les jumeaux derrière celui-là... Et tous les autres aussi se cacheront. Il ne faut pas le dire. Je sais que tu comprends ça. Surtout, ne rien dire à Koch. C'est mieux pour tout le monde, Daria. Ce rouleau-là, oui, celui-ci, on ne peut pas l'emporter avec nous dans les bois... Oh, Daria, tu as terminé... Non ! ne t'en va pas ! Attends. Attends un peu. Tout se dérègle... Tu n'as pas remarqué ? L'heure obligée n'est plus l'heure obligée. Tu as encore un peu de temps. N'aie pas peur... Ne pars pas... C'est trop important... Comment te faire comprendre? Quoi les Rosenberg? Arrêtez de gesticuler et parlez. Quoi? Oh, la très petite petite femme... Rebekka? Oui, c'est vrai... Rebekka! Daria, j'écris ici R-e-b-e-k-k-a et D-a-r-i-a. Tu sais lire vos deux prénoms, je sais ça. Un soir, je t'ai vue lire dans le calepin que tu caches dans une très bonne cachette, je ne l'ai pas encore trouvé. Bon. Si Rebekka était encore là, elle... Elle te prendrait la main et... Non, non, moi, je ne te touche pas. Je dessine seulement vos mains... Tu vois? Elle te demanderait, Rebekka, de nous aider. Je sais que tu comprends, Daria. Je sais. Ça c'est un tuyau, il est mal dessiné, mais tu peux le reconnaître. C'est celui... J'y avais caché mes trouvailles, mes choses... Comme ces pansements. Bien sûr, ils n'étaient pas encore rouges... C'est à cause de la sanguine... Le tuyau, je l'ai retrouvé après que tu... Mais je te comprends. Rebekka m'a expliqué que c'était ton travail de gardienne de jeter les cochonneries. Tu ne pouvais pas savoir que c'étaient des trouvailles. Surtout, que tout doit être très propre pour toi, je veux dire pas moi, pas les Rosenberg... Non... les autres choses... Comme tous les jolis objets dans ton salon de coiffure pour dames. Rebekka m'a parlé de ton salon très très propre avec de grands miroirs ronds, comme ça. Je dessine mal les miroirs, Daria, parce que je ne les aime pas. Mais je vais peut-être les aimer plus tard. Pour toi aussi, il y aura bientôt une *fin de l'après*. Tu retrouveras les dames qui mettent du lilas dans leurs beaux cheveux. Le tuyau… Hé bien le tuyau, il est tout au fond d'un seau percé… comme celui-ci. Regarde. Regarde bien ce que Rebekka aimerait que tu fasses : tu prends le rouleau de papier, tu vois tes mains, je les ai bien dessinées, non ? et tu le déposes dans le tuyau… Oh, les dessins sur la grande feuille, c'est Claire qui les a faits… elle appelle ça des croquis. Claire, c'est une artiste, elle a de beaux cheveux et elle est belle. C'est pas comme moi. J'oubliais… Avant de cacher la feuille pleine de croquis dans le tuyau, il faudrait l'envelopper comme ça et comme ça, je te fais des flèches, pour la préserver de la saleté. Peut-être avec l'une des housses de plastique du gros Koch, voici les housses… Et ça, c'est Koch ! Ce qu'il est laid avec ses dents écartées. Lui, je sais le dessiner par cœur ! Je le dessine tout le temps dans ma tête, puis j'imagine un gros x noir sur son visage de racaille ! Mais là, ce n'est plus nécessaire. Il va arrêter. De force, mais il va arrêter. Après le plastique, tu mets le rouleau dans le tuyau pour le protéger de l'humidité, de la pluie, tac tac tac, tu vois la grosse pluie qui tombe. Daria, tu me regardes ? J'ai presque terminé. N'aie pas peur de moi… Ni des jumeaux. Plus tard, on va nous opérer, hein les Rosenberg ? On deviendra plus beaux. Les jambes des jumeaux vont redevenir droites comme des i. C'est drôle ! Quatre iiii ! Tu souris Daria ? Bon. Écoute. Il faut enterrer le tuyau… Peut-être derrière… c'est ça, derrière le Bloc 10, là où il y a de la terre retournée. Pour les bébés. Ne pleure pas Daria… Tu pourrais creuser sans regarder. Te fier juste à la hauteur de la pelle… Et creuser. Voici la pelle, je l'ai dessinée ronde, comme celles des latrines. J'ai terminé Daria. Bientôt, tu retrouveras ton salon, tu mangeras de bonnes choses, tes cheveux repousseront… et surtout, ta Vierge Marie veillera de nouveau sur toi. Elle t'aidera à nous oublier. Pour toujours et à jamais…

La gardienne arracha le rouleau des mains des Rosenberg et courut jusqu'à la porte, poussa Séné, déverrouilla d'une main et se projeta dans le couloir, tirant derrière elle la cuvette. Le chien essaya de la suivre. En vain. Séné claqua la porte sur sa queue, puis l'ouvrit pour l'en dégager. Ce petit geste de rien du tout enraya en elle la montée de la peur.

La vieille Hongroise redevint celle qu'elle était, une femme forte.

— Daria Jablonowski le fera… Oui… Elle le fera, répétait-elle à chacun, notre trace restera, mes amis. On saura… Pas tout… C'est impossible… Mais on saura, oui, on saura…

Soudain, des ferraillages secs se firent entendre et se répercutèrent en vagues acérées sur les murs. À ces bruits, tous les Juifs, sauf Salomon et Georg qui s'étaient éloignés du groupe, se figèrent dans un désordre de bras agrippés et de têtes rapprochées. Les bruits augmentèrent d'intensité : se mêlaient maintenant à la cacophonie trop connue, des sifflements, entrecoupés d'assourdissants battements.

— Cela ne peut être…, chuchota Claire, baissant avec douceur les mains bleutées de Lili posées sur les oreilles.

— Non, non, cela ne peut être, répéta Séné, tournée vers le coin au cochon.

— Pas lui, ajoutèrent les deux enlacés, impossible. Mais peut-être…

— Écoutez bien, mes amis. On dirait du vent… des bourrasques venues de loin qui poussent, forcent…

La voix de Claire se fit alors plus forte.

— C'est le vent! Il a forcé la porte à deux battants! Celle du couloir! Regardez, même la porte de cette foutue pièce semble haleter avec toute sa ferraille dans la bouche. Ce n'est qu'un vent de tempête! Lili, qu'un vent...

— Non. Ce n'est pas...

— Viens avec moi.

Prenant la petite par la main, Claire Gerson l'entraîna vers la porte du faux studio qu'elle ouvrit toute grande. Les bruits se décuplèrent et sa chevelure de feu se mit à ondoyer. Lili, dont les tresses volaient en tous sens, la dépassa et s'avança dans le sombre du couloir.

— Daria, murmura la fillette, chère Daria.

Retenant sa chevelure à deux mains, Claire la rejoignit.

— La porte de la grande entrée est pleine de vent... Lili, qu'est-ce que tu as dit?

— C'est Daria Jablonowski, Claire.

— Oh, Malili! Malili! oui... Les verrous de fer auraient tenu. Daria, c'est Daria, répéta Claire, qui se mit à reculer puis à courir vers la table à dessin où, dessous, elle avait déposé son manteau taché de lait. Elle l'enfila en soupesant rapidement les poches, y glissa, entre l'objet-de-peur et les restes de riz, la photo qui était bien au chaud au creux de sa manche.

La voix vibrante de la petite retentit près d'elle.

— La porte de la grande entrée est pleine de vent! Claire l'a vue. C'est Daria Jablonowski qui a fait entrer le vent. Peut-être, oui, peut-être aidée par Rebekka Bertholdy qui lui a laissé dans le cœur des parcelles de sa liberté in-alté-rable. Venez les Rosenberg! Venez tous! Le vent va nous emporter jusque dans les bois. N'ayez pas peur des chasseurs. Claire a mis son manteau aux grandes poches. Elle est prête. Moi aussi. Mais… Vely et Dreyfus, vous ne vous enlacez plus… Vous êtes devenus muets! Et toi Séné Cioban, pourquoi me regardes-tu ainsi? Tu pleures en ouvrant la bouche comme une carpe de ton pays. Tu ressembles à ma mère lorsque les hommes m'ont jetée dans le camion. Je n'aime pas ton regard, vieille grand-mère de Camp. Aujourd'hui c'est *la fin de l'après*. Dis-lui, Salomon. Salomon! Salomon Goldmann! Réponds, c'est ton chien de poche qui te parle. Tu dors? Georg, pourquoi le couteau… Claire! Claire! Où es-tu?

— Je suis là, Lilian Maisel. Suis-moi.

Autres romans chez Héliotrope

CATHERINE MAVRIKAKIS
Le ciel de Bay City
Deuils cannibales et mélancoliques
Les derniers jours de Smokey Nelson

SIMON PAQUET
Une vie inutile

GAIL SCOTT
My Paris, roman

VERENA STEFAN
d'ailleurs

SÉRIE « K »

Collectif
Printemps spécial

CAROLE DAVID
Hollandia

CYNTHIA GIRARD
J'ai percé un trou dans ma tête

MATHIEU LEROUX
Dans la cage

MICHÈLE LESBRE
Un lac immense et blanc

CATHERINE MAVRIKAKIS
L'éternité en accéléré
Omaha Beach

SIMON PAQUET
Généralités singulières

Achevé d'imprimer le 19 août 2013
sur les presses de Marquis Métrolitho